Ce qui se passe au Mexique

RESTE AU MEXIQUE!

**Catalogage avant publication de Bibliothèque et
Archives nationales du Québec et Bibliothèque et Archives Canada**

Dubois, Amélie

Ce qui se passe au Mexique reste au Mexique !

ISBN 978-2-89585-334-3

I. Titre.

PS8607.U219C4 2012   C843'.6   C2012-941726-2

PS9607.U219C4 2012

Les Éditeurs réunis bénéficient du soutien financier de la SODEC et du Programme de crédits d'impôt du gouvernement du Québec.

Nous remercions le Conseil des Arts du Canada de l'aide accordée à notre programme de publication.

Nous reconnaissons l'aide financière du gouvernement du Canada par l'entremise du Fonds du livre du Canada pour nos activités d'édition.

Édition :
LES ÉDITEURS RÉUNIS
www.lesediteursreunis.com

Distribution au Canada :
PROLOGUE
www.prologue.ca

Distribution en Europe :
DNM
www.librairieduquebec.fr

 Suivez Amélie Dubois et
Les Éditeurs réunis sur Facebook.

Imprimé au Canada

Dépôt légal : 2012
Bibliothèque et Archives nationales du Québec
Bibliothèque nationale du Canada

AMÉLIE DUBOIS

Ce qui se passe au Mexique

RESTE AU MEXIQUE!

LES ÉDITEURS RÉUNIS

De la même auteure

Oui, je le veux... et vite!, Les Éditeurs réunis, 2012.

Ce qui se passe au congrès reste au congrès!, Les Éditeurs réunis, 2013.

Ce qui se passe à Cuba reste à Cuba!, Les Éditeurs réunis, 2015.

SÉRIE « CHICK LIT » :

Tome 1. *La consœurie qui boit le champagne*, Les Éditeurs réunis, 2011.

Tome 2. *Une consœur à la mer!*, Les Éditeurs réunis, 2011.

Tome 3. *104, avenue de la Consœurie*, Les Éditeurs réunis, 2011.

Tome 4. *Vie de couple à saveur d'Orient*, Les Éditeurs réunis, 2012.

Tome 5. *Soleil, nuages et autres cadeaux du ciel*, Les Éditeurs réunis, 2013.

Tome 6. *S'aimer à l'européenne*, Les Éditeurs réunis, 2014.

 www.facebook.com/pages/Amélie-Dubois

 ame_dubois

Le voyage est une espèce de porte par où l'on sort de la réalité comme pour pénétrer dans une réalité inexplorée qui semble un rêve...

– Guy de Maupassant

... ou un cauchemar, selon le cas !

– Amélie Dubois

PROLOGUE

(À lire en s'imaginant la voix caverneuse et sensuelle de Charles Tisseyre de l'émission Découvertes...)

L'exode périodique des Québécois vers des stations balnéaires tout compris s'avère un phénomène social généralisé et populaire depuis environ une quinzaine d'années. Ledit fléau social semble toujours précédé de trois étapes distinctes et bien précises que nous appelons scientifiquement «le processus décisionnel du vacancier».

La première étape, dite l'«illumination», est celle où l'idée de partir en voyage germera dans la tête du futur voyageur. La plupart du temps, l'«illumination» est

déclenchée soit par une annonce publicitaire attrayante, soit par une jalousie ressentie lors d'un partage de photos de voyage sur Facebook, ou encore par une vive répugnance à l'égard du rude climat hivernal nord-américain. L'idée, ainsi incrustée dans les sphères cognitives pulsionnelles de l'individu, le motivera à poursuivre activement sa démarche vers la deuxième étape.

La «planification» reste un moment très excitant pour le futur vacancier. Celui-ci naviguera des heures durant dans Internet, à la recherche de l'offre la plus alléchante. Certains décideront plutôt de consulter une agence de voyages afin de s'assurer de bien connaître les conditions de vie du lieu où ils passeront leur semaine de rêve. Le futur vacancier doit définir à cette étape précise les priorités relatives à son séjour. Si certains choisissent un environnement plus douillet, mais plus coûteux, pour jouir d'un confort similaire à celui de leur vie nord-américaine, d'autres négligeront cet aspect pour dénicher le prix le plus compétitif, en se disant que, de toute façon, l'alcool et les buffets à volonté demeurent les attraits les plus importants, comblant ainsi toutes leurs attentes.

Au moment de l'« officialisation », soit l'ultime étape de la démarche, le futur vacancier ressentira une douce euphorie lui donnant envie de partager avec tout un chacun son bonheur de partir en voyage. C'est alors qu'il se vantera allègrement de la grande nouvelle sur les réseaux sociaux, en joignant à son message des photos de son hôtel. Photos qu'en moyenne zéro personne ne consultera, vu l'intérêt inexistant pour qui que ce soit de s'extasier devant un panorama aussi peu original.

Une fois toutes les étapes scellées, le futur vacancier, dans une béatitude complète, rêvera à son voyage en effectuant presque à tout coup un décompte temporel public. Habituellement, cette joyeuse anticipation énervera royalement son entourage ; surtout ceux qui ont malheureusement constaté que leur budget annuel ou la naissance de leur petit dernier ne leur permettraient pas de s'envoler cette année-ci.

L'ILLUMINATION

Trente minutes avant le début des classes, Vicky entre dans la salle des professeurs et pousse un soupir bruyant en regardant tristement ses deux amies et collègues, qui l'observent avec des points d'interrogation plein les yeux. Elle se dévêt en silence. À peine quelques semaines après le congé des fêtes, la froideur de cette fin de janvier empoisonne incontestablement le moral des troupes, tant du côté des élèves que des professeurs de la polyvalente. Vicky lève le nez, le front vers le haut, comme si elle interrogeait une puissance mystique quelconque dans le ciel :

— Il fait «fret», il neige, je ne suis pu capable de l'hiver. Est-ce que quelqu'un peut m'expliquer pourquoi je ne suis pas née en Californie ?

— Parce que ça te ferait beaucoup trop de «voyagements» chaque jour pour venir enseigner les arts plastiques à notre école. Imagine : devoir traîner tout ton matériel dans l'avion, matin et soir, hish..., répond sa collègue Katia, les yeux dans le même trou, et feignant de raisonner aussi stupidement.

— Je ne parle pas assez l'anglais non plus, se résigne Vicky, comme si ce détail crucial anéantissait sans équivoque sa question précédente.

— Pour ça, je peux te l'apprendre! propose Katia, l'air sérieux, étant donné qu'elle enseigne cette matière depuis près de six ans.

— Hum... San Diego..., rêvasse Caroline, qui expire à son tour en regardant dehors.

Les trois enseignantes, devenues de grandes amies depuis longtemps déjà, s'accordent plusieurs fois par semaine ce «moment matinal» autour d'un délicieux café, tout en papotant avant la rentrée des élèves.

Katia s'installe dans un des gros fauteuils adjacents à la grande table centrale, et soupire elle aussi. Elle porte à son nez la tasse fraîchement remplie de cette boisson chaude afin d'en humer le fumet. Ce moment de plaisir futile – signé Nabob – fait finalement place à un second soupir. Sans rien ajouter au silence qui emplit la pièce, elle imite ses camarades. À travers l'immense mur vitré, elles regardent la neige tomber en ce mois de janvier plus que froid. Katia leur balance alors une confession-choc:

— Ma vie est plate.

— Hein? se surprend Caroline, qui trouve toujours stimulantes les histoires de célibataires de son amie.

— Tu as passé un beau temps des fêtes, pourtant? l'interroge Vicky, sur un ton lui laissant croire qu'elle lui rappelle seulement un fait.

— Oui, j'ai passé du bon temps avec Stéphane, mais c'était juste mon-ami-de-Noël. Je m'en trouve un chaque année parce que ça me déprime d'aller toute seule dans mes *partys*...

— Tu ne le reverras jamais, alors ?

— Non ! Mais j'ai sérieusement pensé lui demander : « Est-ce que je peux réserver à l'avance tes services pour Noël prochain ? » Il serait grandement temps que je sois avec le même gars pendant deux années de suite. Me faire dire chaque fois : « T'es plus avec celui de l'année dernière ? » est presque plus tannant que d'être seule tout court !

— La prochaine fois, loue un gigolo pour la soirée ! lance fièrement Vicky, comme si son idée était digne que l'on change officiellement son nom de famille pour celui d'Einstein.

— D'habitude, j'ai minimum trois *partys* qui requièrent un accompagnateur...

— Loue-le pour une semaine, alors !

— Tu ris, mais j'y ai déjà pensé... D'après vous, est-ce que ça pourrait être déductible d'impôt ? C'est pour des raisons familiales, après tout...

— Comme les soins dentaires, rigole Caroline, amusée de voir que cette conversation ne mène à rien.

— Le café est fort, à matin ! fait Katia en levant sa tasse en l'air.

— Christian t'a accompagnée au réveillon ou pas, finalement ? demande Caroline à Vicky, pour ramener la conversation à un niveau plus sérieux.

— Naaaa, on se voit juste depuis quelques semaines. Trop tôt. Je suis vraiment le contraire de toi en ce qui concerne «amener-un-gars-dans-mes-*partys*»! envoie-t-elle à Katia, les sourcils exagérément relevés.

— Toi, t'es extrême, certain. On pourrait ne pas rencontrer ton fiancé avant le jour du mariage! lui dit-elle, sur un ton de reproche, ou presque.

— Si un jour je me marie, t'es mieux de te louer un gigolo et de ne pas venir toute seule! la menace Vicky.

— Je n'y manquerai pas. Promis!

— Qu'est-ce qui cloche avec Christian, Vic?

— Je ne sais pas. Il est gentil, je le trouve drôle et pas compliqué... Mais on dirait que quelque chose me retient.

— Toi, t'as un problème: le jardin est toujours plus vert chez le voisin! lui reproche Katia. Tu te nourris trop de tes fantasmes hollywoodiens, justement. À ton âge, tu devrais depuis longtemps avoir compris que ce qui se passe dans les films, ce n'est pas la vraie vie! Tu n'es pas une princesse!

— Bien oui, j'en suis une! Eille, madame-la-céliba-taire-qui-envisage-de-se-louer-un-gigolo qui me fait la morale sur les relations de couple! lâche Vicky, consciente du poids de son argument.

— C'est ce que tu lui reproches, d'être trop simple? tente de comprendre Caroline.

—Un peu, oui! Un homme tout ce qu'il y a de plus ordinaire. Il me semble qu'au début d'une fréquentation, il devrait y avoir une certaine passion qui surgit, une magie, non?

—Après sept ans de vie de couple, je ne me souviens plus de ça du tout, exagère Caroline.

—En tout cas, si tu veux des enfants, embraye! La fertilité chute en flèche plus on avance dans la trentaine.

—Pfft... je sais bien...

Une professeure entre dans la salle en bâillant. Elle salue ses collègues de la main, dépose son lunch dans le grand réfrigérateur et ressort de la pièce aussi vite qu'elle est entrée.

—Avez-vous des plans pour la relâche? s'informe Vicky pour changer de sujet, elle qui fantasme déjà sur la longue semaine de congé du mois de mars.

—Heu, on revient tout juste des vacances des fêtes... Les élèves commencent à peine à retrouver un semblant d'intérêt pour l'école.

—Je le sais, mais juste pour savoir.

—Moi, non. Éric ne peut pas prendre une semaine de congé en même temps que moi cette année. Son patron n'est pas très accommodant, se désole Caroline.

—Tu vas rester chez toi avec ton gars?

—Vous êtes drôle, vous autres, les «sans-enfant»: vous vous imaginez toujours que si les parents sont en congé, ils n'enverront pas leurs enfants à la garderie. Eh bien oui, mon fils ira à la garderie! Je vais prendre du temps pour moi et me reposer. Je vais peut-être aller le chercher plus tôt, mais il va y aller! affirme Caroline, sur un ton à mi-chemin entre l'exaspération et l'humour.

—Grimpe pas dans les rideaux, la mère! dit Katia, amusée par les propos de son amie.

—Mais c'est vrai. Chaque fois que je suis en congé, tout le monde me dit: «Onnnn... Tu vas garder ton gars à la maison!» Comme si cela faisait de moi une mère indigne de l'envoyer ainsi à la «méchante garderie»! Quand vous aurez des enfants, vous comprendrez!

—Justement, l'insémination artificielle, est-ce que ça aussi c'est déductible d'impôt? plaisante de nouveau Katia.

—Si tu es inséminée par les «semences» d'un gigolo que tu paies, à ce moment-là la démarche s'avère déductible d'impôt, rectifie Vicky, dans une implacable logique.

—Super! Je vais m'y mettre dès ce soir!

Les filles roulent des yeux sans lui répondre. Vicky change encore de sujet:

—Moi, ça me fait suer, là; trois de mes élèves ont reçu à Noël un voyage dans le Sud! Voyons donc! Moi, où il est, mon voyage dans le Sud du père Noël?

—Tu n'y es jamais allée, hein? demande Katia, plus tellement certaine de ce détail.

— Non, je suis juste allée à Paris une fois dans ma vie palpitante! Avec mon père, à seize ans. Il n'a même pas voulu que je prenne plus de trois gorgées de vin durant tout le voyage!

—Tu ne peux pas me battre en tant que «pas voyageuse»! Je suis allée à Old Orchard à sept ans pendant – tenez-vous bien – quatre jours... Voilà, c'est tout! affirme Caroline les bras en l'air, comme si cela s'avérait ridicule de nos jours de n'avoir jamais voyagé.

— Toi, est-ce que t'es allée en voyage juste une fois? s'informe Vicky auprès de Katia, plus certaine non plus de son expérience antérieure.

— Oui, à Cuba, avec Steve, il y a trois ans. Il avait fait environ dix-huit degrés, au plus chaud de la température! Et au Québec, il avait fait vingt et un! *Wow!*

— Ça vaut la peine de s'exiler!

— Ma cousine m'a montré ses photos de voyage en Jamaïque pendant une heure au *party* de Noël. «Ça c'est le resto italien à la carte; ici: le buffet, la mer, notre chambre; là, encore notre chambre, mais vue de l'autre côté...» Eille, je m'en foutais-tu! C'est toujours pareil, des maudites photos de voyage dans le Sud de toute façon, confie Katia, agacée.

— Mais avouez qu'il faut le faire, donner ça en cadeau à tes enfants!

— Bien non, je trouve que c'est une bonne idée de dire à son ado: «Écoute, cette année, ton cadeau c'est le voyage et c'est tout», explique Caroline, à l'aise avec cette façon de faire.

— Pfft, souffle Vicky en croisant les bras.

— T'es juste jalouse, Miss Californie! Vas-y, toi aussi, dans le Sud!

— Bien oui, toute seule comme un creton?

— Avec Christian? propose Caroline, pour l'encourager à poursuivre son projet.

— Ah! Après juste quelque temps de fréquentation, je ne sais pas... Se retrouver en vacances avec un gars qui te tape finalement sur les nerfs, et être pognée avec..., se décourage quelque peu Vicky, en imaginant le drame.

— Arrête donc de penser tout le temps au pire, la met en garde Katia en lui faisant de gros yeux réprobateurs.

— Allez-y ensemble, vous deux! lance gaiement Caroline, qui désigne en alternance ses deux collègues d'un mouvement rapide du doigt.

Celles-ci se dévisagent avec curiosité, en songeant à cette possibilité. Silence complet. La neige tombe toujours aussi doucement.

— Combien ça coûte? s'informe Vicky.

— Je ne sais pas. D'habitude, autour de 1000 $. Durant la relâche, peut-être un peu plus.

Les deux amies continuent de se fixer, en réfléchissant de plus en plus sérieusement à la perspective d'un tel projet. Vicky sourit. Katia aussi.

— Non! Mieux que ça! On y va toutes les trois! déclare Katia, en observant Caroline qui se met à rire.

— Ha! ha! ha! Moi, je ne peux pas, voyons!

— Pourquoi?

— Bien, euh... mon gars..., répond-elle, peu convaincante avec son argument boiteux.

— Tu nous as dit que t'allais le laisser pourrir à la garderie toute la semaine comme une mère indigne *anyway*, lui rappelle Katia en lui adressant un clin d'œil.

— OUI! Ton *chum* s'en occupera. Il a quatre ans, quand même. Ce serait vraiment malade! s'emballe Vicky en tapant des mains.

Ding! Dong! Dang! Ding! Au son de la cloche qui annonce le début des cours, les trois amies se lèvent d'un bond et déposent leur tasse encore pleine dans l'évier. Malheureusement, la direction leur interdit de les apporter en classe.

— On y pense au moins, insiste Katia en regardant Caroline, qui ne semble vraiment pas prendre la proposition au sérieux.

— Je vous le dis, ne comptez pas sur moi! ajoute celle-ci avant de se diriger vers sa classe de français.

LA PLANIFICATION

◆

— Êtes-vous certaines que c'est une bonne agence de voyages ? s'inquiète Caroline, en marchant dans une rue perpendiculaire à l'école.

— On s'en fout de l'agence, Caro ! On va voir ce qu'elle offre, les prix surtout. J'ai regardé sur Internet pour voir combien ça nous coûterait et on s'en sort pour un peu plus de 1000 $, comme je le croyais !

— Je persiste à croire qu'on aurait vraiment dû l'acheter sur Internet ! rappelle de nouveau Vicky, en remontant son foulard sur son visage.

— Non ! non ! non ! J'ai déjà vu une arnaque à ce sujet à l'émission *La Facture* : les gens se retrouvaient dans des chambres dégueulasses, dans des hôtels en construction, ils ne pouvaient pas se faire rembourser, s'emballe Caroline, trop prise sur le plan émotif par cette escroquerie.

— En tout cas, il me semble que, dans cette émission-là, les gens avaient justement acheté leur voyage dans une agence, se souvient vaguement Vicky.

— Non ! non ! non ! s'oppose fermement Caroline, même si elle n'en est plus certaine, elle non plus.

— On aurait économisé, j'en suis sûre. Je mets tout ça sur ma carte de crédit, souligne pour la ixième fois Vicky, qui paraît la plus soucieuse de toutes en ce qui concerne le budget.

— La Loi de la protection du consommateur protège juste les achats faits en agence! fait valoir Caroline, la prosécurité, sans en connaître réellement les formalités ni les balises.

— Les achats sur Internet aussi...

— *Anyway*, arrêtez de vous obstiner, «y a pas de problème!», scande Katia, fidèle à cette expression positive qu'elle utilise toujours avec abus.

Arrivées à l'agence, située à proximité de leur école secondaire, les futures vacancières scrutent, à travers la vitrine, les photos paradisiaques des diverses compagnies aériennes. Caroline analyse les affiches:

— Elles sont belles et semblent assez récentes; c'est signe qu'il y a bel et bien un partenariat avec ces compagnies de voyages...

En ouvrant la porte, Vicky se retourne vers Katia, découragée, en lui parlant comme si Caroline n'était même pas là:

— Elle m'énerve! On dirait qu'elle enquête pour la Commission canadienne du tourisme!

— Franchement! La Commission canadienne du tourisme! répète Caroline en enlevant son manteau.

Le bureau est vide. Cependant, elles entendent des pas venir de ce qui semble être l'arrière-boutique.

— Bonjoooour ! raille d'une petite voix aiguë la femme qui s'assoit derrière le bureau, avant de rire très fort, sans raison apparente.

« Mon Dieu Seigneur ! », se dit Caroline en dévisageant l'employée.

« *My god !* », songe à son tour Katia, en la fixant la bouche légèrement entrouverte.

« Cibole ! », murmure Vicky pour elle-même, en la toisant sans gêne.

Les yeux rivés sur son écran, la dame ferme certains dossiers afin de servir ses nouvelles clientes.

Sa tignasse blond-blanc est affublée de rallonges rêches qui lui descendent jusqu'au milieu du dos. Son visage, d'un teint « orange-cancer » et très rond, semble avoir été modifié par une quelconque chirurgie. D'où sans doute son air un peu félin, puisque ses yeux paraissent tirés au maximum vers les tempes. Ses lèvres, démesurément gonflées, sont tracées d'un épais crayon rouge foncé, superposé d'un rouge à lèvres rose. Dessinée ainsi, sa bouche s'apparente à un derrière de babouin. Vêtue d'un chemisier blanc semi-transparent mettant en évidence son soutien-gorge noir, elle donne l'impression de tanguer continuellement vers l'avant en raison de ses deux énormes seins, qui sont tout aussi disproportionnés que le reste. Ses ongles écarlates, de cinq centimètres chacun, courbés vers l'intérieur, ont l'apparence de ceux d'une sorcière.

Finalement, elle lève les yeux vers les trois filles, en riant de nouveau sottement. Caroline prend un air sérieux et brise le silence :

— Est-ce bien votre commerce ou celui de quelqu'un d'autre ?

Trouvant la question de son amie hors propos, Vicky la taquine juste pour se montrer drôle.

— Excusez-la, elle travaille pour l'Agence du revenu du Canada !

L'agente de voyages, qui semble paniquée à la suite de cette révélation, se prend la tête à deux mains :

— Ah non ! Je lui avais dit que ça nous retomberait dessus un jour ! C'était son idée que je garde l'ancienne adresse de mon ex pour continuer de recevoir mes chèques d'aide sociale...

Les trois filles, les sourcils en accents circonflexes, échangent quelques regards médusés avant que Katia rassure la «jeune» femme :

— C'était juste une blague, elle ne travaille pas pour Revenu Canada...

— Ah ! super alors ! fait celle-ci, en reprenant tout à coup son air enjoué tout en riant encore très fort, comme si elle avait, elle aussi, eu l'intention de faire une simple plaisanterie.

— Avez-vous suivi un cours ? Avez-vous une formation ou un certificat ? s'informe Caroline.

La femme désigne au mur un cadre contenant ce qui semble être un diplôme. Katia enchaîne en sachant que, si elles laissent Caroline vérifier tout ce qu'elle veut savoir, elles y passeront toute la pause du midi.

— On voudrait partir en voyage «tout inclus» pour la relâche.

— Mais on ne sait pas du tout où aller, par contre ! ajoute Vicky.

— Mmmm… Cancún ! propose sans hésiter l'agente de voyages, l'air presque en extase orgasmique en fermant les yeux et en ouvrant ses immenses lèvres, comme si elle voulait embrasser quelqu'un devant elle.

— Pas question ! J'ai lu quelque part que les gens étaient pas mal sur le *party*, là-bas ! s'oppose fermement Caroline.

— Écoute, Caro, si t'as fait deux cent cinquante mille heures de recherche et que tu sais déjà où tu veux aller, dis-le-nous tout de suite, on gagnera du temps ! lance Katia, qui en déduit, suivant le commentaire de son amie toujours aussi bien organisée, qu'elle doit déjà avoir une idée derrière la tête.

— Non ! J'ai juste lu ça par hasard…, les rassure-t-elle, en adoucissant le ton « contrôlant » de sa voix.

— Seule une de nous trois a déjà expérimenté ce genre de voyage. Donc, honnêtement, on ne sait pas trop à quoi s'attendre ni ce que l'on veut, ou plutôt ce qui nous conviendrait, confesse Vicky à la femme, qui lui fait de grands signes de la tête pour lui signifier qu'elle comprend.

— Pour vous éclairer, on va faire un exercice de visualisation. Fermez les yeux, murmure l'agente de voyages, qui inspire profondément en gonflant démesurément son énorme poitrine.

Elle écarte les mains de chaque côté de son corps, en les maintenant dans les airs, pouce et index réunis. Comme ses yeux de chat sont déjà fermés, Katia en profite pour dévisager Vicky qui hausse les épaules, trouvant elle aussi la démarche d'introspection méditative un peu étrange. Caroline, les yeux déjà clos, respire profondément à son tour, soucieuse de bien réaliser l'exercice demandé. La femme commence ladite visualisation, avec une voix sensuelle grave et lente. Les deux autres filles tentent de participer en baissant elles aussi les paupières.

— Visualisez votre voyage... Le soleil vous réchauffe, c'est chaud... Laissez-vous bercer par les vagues qui lèchent votre peau... Vous observez un homme au torse bronzé et bien bâti, qui avance sur la plage au son d'une musique douce et exotique... Il vous tend un verre avec un sourire désarmant... Le cocktail sucré et froid glisse doucement dans votre gorge...

Vicky, qui essaie de ne pas s'esclaffer, est persuadée que ses amies se trouvent dans le même état d'esprit qu'elle. La femme semble décrire une scène d'un érotisme torride. Elle ouvre un œil pour espionner Katia; celle-ci fait de même. Dès que leur regard se croise, elles pouffent d'un rire bruyant, sans pouvoir se retenir. Caroline, concentrée comme un moine, les dévisage, surprise. L'agente se met à rire, uniquement pour le plaisir.

— Avez-vous vu votre voyage de rêve ?

— Oui ! oui ! ment Vicky, malgré tout enthousiaste face à l'exercice.

— Moi, j'ai juste vu un buffet, plaisante Katia, mais sans rire.

— Un buffet ? Comment ça ? On vient juste de manger ! ne comprend pas Caroline, certaine que son amie dit vrai.

— Quelles sont vos attentes ou quels sont vos désirs ? tente l'agente, qui accentue le mot « désir » en se réappropriant du coup sa voix de commentatrice de porno.

— Je veux lire un bon livre sur la plage, sous un palmier ; je veux décrocher du quotidien, juste ne rien faire, dormir, manger...

— Prendre un petit verre aussi ! présume la femme en s'esclaffant.

— Pas nécessairement..., rectifie Caroline, n'inscrivant pas forcément ce critère dans ses priorités.

— Bon, la prof de français *stuck-up* ! Oui ! oui ! oui ! Je confirme le désir : prendre un verre, enchaîne Katia, qui connaît bien la réalité des voyages tout compris.

L'agente lève son interminable pouce en direction de Katia pour approuver coquinement son commentaire.

— Faut que ce soit beau! Qu'il y ait du yoga le matin, un spa pour se détendre, des soins de beauté. Qu'il y ait aussi une ville proche pour aller parader avec nos belles robes. Je veux croiser des vedettes américaines! explique Vicky, en reprenant à peine son souffle.

— La prof d'arts, elle, c'est la princesse! ajoute Katia, comme si elle se trouvait seule avec l'agente de voyages.

— Pour les vedettes, faut aller en Californie, ma belle, lance la femme en direction de Vicky.

— Je sais, je rêve d'être née là... La vie est injuste, reprend Vicky, de nouveau l'air déçu quant à son pays d'origine.

— On veut sortir danser, rencontrer du beau monde, prendre un verre, faire le *party*, se coucher tard! s'excite Katia, pas tout à fait dans le même ton que ses collègues.

— Et la prof d'anglais? C'est l'ado: on dirait qu'elle a encore seize ans, des fois! commente Caroline, en adoptant le ton satirique que son amie a utilisé tout à l'heure.

L'agente décoche un autre sourire en coin en direction de Katia, laissant réellement croire qu'elle partage le même genre de préférences et d'attentes face à un voyage. Les deux autres filles remarquent à peine ce détail et s'opposent en chœur au propos de leur amie.

— Donc, non! Pas se coucher tard.

— Bien non, on va être toutes cernées.

— Vous n'êtes pas vraiment pareilles, hein ! résume sottement l'agente, avant de s'esclaffer, une fois de plus, de son rire aigu qui rappelle le croassement d'un corbeau.

— Un voyage tranquille ! réitère Caroline.

— Une belle place chic, qui a de la classe ! souligne de nouveau Vicky.

— Des vacances de *party* ! précise Katia en fixant avec appréhension la femme derrière le bureau, comme si la tâche d'avaliser le choix de la destination lui revenait au final.

— Voyons voir, approuve-t-elle de la tête avant de commencer la recherche dans Internet.

L'OFFICIALISATION

Les trois femmes qui s'habillent dans la salle des professeurs saluent au passage d'autres enseignants qui quittent l'établissement.

— Bon week-end!

— Toi aussi!

— On va faire du ski. La météo annonce super beau.

— *Wow!* Profitez-en!

Les filles attendent patiemment devant la porte que Vicky soit prête. Elle replace pour la troisième fois son bonnet dans le miroir de la salle de bain adjacente.

— On dirait que je ne suis juste pas certaine de notre choix, c'est tout! souligne Caroline, les yeux bien ronds.

— On débat la question depuis deux semaines! C'est amplement suffisant, fait valoir Katia, agacée que son amie remette encore en doute leur décision.

Vicky les rejoint finalement; elle aussi trouve que Caroline s'en fait toujours pour rien. Elle dédramatise la situation:

— On ne le saura pas tant qu'on n'y sera pas allées! Ce n'est quand même pas la décision de notre vie.

— J'ai juste peur que ce soit trop rock and roll, anticipe Caroline, toujours anxieuse face au verdict.

— Si on avait choisi Punta Cana en République domini-caine, vous auriez été satisfaites toutes les deux, mais moi, je me serais royalement emmerdée. Si tu veux lire en toute tranquillité, tu peux le faire partout, Caro. Moi, de l'action, il n'y en a pas partout. J'aimerais ça rencon-trer un gars « *trippant* » pendant la semaine de notre voyage. Je ne vais pas le trouver dans une place de matantes qui sucent des *peppermints* sur le bord de la piscine à longueur de journée, explique Katia.

— Je sais bien...

— Et Varadero, à Cuba, non merci! Pas question de prendre le risque d'aller se les geler. Je ne veux pas apporter du linge chaud dans ma valise, affirme Vicky, qui fait référence au temps frisquet qu'a connu Katia, il y a trois ans.

— Vous me promettez qu'on va faire au moins une activité culturelle pour découvrir le pays et ses habitants? fait Caroline en revenant à la charge, sceptique quant au réel intérêt de ses amies pour ce genre de choses.

— Bien oui, ça fait cent fois qu'on te le dit!

— Ça m'intéresse aussi de le faire.

— À t'entendre parler, on dirait que tu vas juste sortir et boire jusqu'à ce que mort s'ensuive! remarque Caroline, les yeux encore écarquillés.

— Bien non, je veux me détendre aussi. Je veux faire le plein d'énergie durant la relâche, comme tout le monde. Je n'ai quand même plus vingt ans ; je ne vais pas sortir tous les soirs. Mon souhait n'est pas de revenir épuisée de mes vacances. Je veux juste danser, m'amuser, et le reste du temps, paresser sur la plage, ne rien faire ! précise Katia pour rassurer davantage son amie.

— Et pour les hôtels, le Tropical de Flores Resort était un peu plus petit, mais il y avait un restaurant de fruits de mer à la carte..., se désole Caroline, qui revient encore sur un sujet déjà discuté dans le passé.

— Mais pas de discothèque, rappelle Katia.

— Et le Palmas Coco Resort n'offrait pas de séances de yoga le matin, évoque Vicky.

— Je sais...

— On aurait vraiment pu débattre là-dessus pendant trois, quatre ans !

— On y va, alors ?

— Oui. Vous avez toutes vos passeports ? Ça va plus vite pour réserver.

— La prof de français de deuxième secondaire m'a dit qu'on aurait pu faire tout ça par *fax*, souligne Vicky, confuse par la marche à suivre.

— Je sais, mais c'est juste plus amusant de le faire ensemble et d'aller prendre un verre après pour fêter ça !

— Faut que je rentre avant 18 h, pense tout haut Caroline en regardant sa montre.

— Oui, c'est bon! On sourit, s'il vous plaît! C'est super excitant: on s'en va acheter notre forfait voyage, les filles! claironne Katia pour stimuler ses amies, qui semblent visiblement plus anxieuses qu'heureuses.

— Bien oui, je suis tout énervée! J'espère juste que l'on fait le bon choix, c'est tout, nuance Caroline, qui s'aperçoit qu'elle paraît en effet plus angoissée qu'autre chose.

— Fait «fret»! râle Vicky en mettant un pied dehors.

— On va justement s'acheter du soleil garanti pour 1 208 $!

En marchant en direction de l'agence de voyages, les trois femmes n'échangent presque pas un mot. Le vent froid et glacial les a obligées à enfoncer leur tuque et à remonter leur foulard de façon à ne pas se faire cingler le visage.

Lorsqu'elles atteignent la porte, Vicky commente en soufflant, la bouche engourdie par le froid:

— Eille! C'est vraiment un super moment pour s'acheter du beau temps, comme tu dis!

— Bonjooooooour! piaille la plantureuse blonde en apercevant ses trois clientes pénétrer dans son bureau.

Les filles se dévêtent, en silence.

— Vous avez fait un choix, alors ? Caroline me disait au téléphone que ce n'était pas facile, leur dit l'agente d'entrée de jeu.

Katia fronce les sourcils à l'endroit de son amie ; depuis le début, c'est elle qui était mandatée pour recueillir des informations en contactant l'agence de voyages. Celle-ci se justifie en haussant les épaules :

— Je l'ai juste appelée deux ou trois fois pour avoir des détails supplémentaires...

Comme la femme de l'agence fait de drôles d'yeux, Caroline se reprend :

— OK ! J'ai peut-être appelé plutôt cinq ou six fois... J'avais besoin de certaines précisions.

— Sacrée Caro !

— Asseyez-vous, les invite la femme avant de s'esclaffer, comme toujours, de son rire habituel. Vous avez choisi quelle destination et quel hôtel ? Je vous écoute !

— Cancún, le Playa Luna Resort, annonce fièrement Katia.

— Excellent choix ! approuve la femme, qui lorgne sa cliente d'un regard qui semble dire : « Tu vas t'éclater comme une folle ! »

Ses yeux de chat parcourent attentivement l'écran de l'ordinateur.

— Je vous avais dit combien pour la semaine ?

— 1 208 $, avec les taxes.

Elle saisit sa calculatrice et, malgré ses longs faux ongles courbés, y enfonce les touches facilement. Elle s'exclame, avec son infatigable ardeur :

— Vous êtes chanceuses, ça a baissé un peu : 1 178 $!

— Super, ça ! s'enthousiasme Vicky, qui fait réellement une folie en portant ce voyage à sa carte de crédit afin d'étaler les paiements sur plusieurs mois.

— Bon ! Vous voyez que c'était le bon choix !

— On ne s'y opposera pas !

— Donnez-moi vos passeports, je vais faire les réservations ; ça prendra quelques minutes.

Entre-temps, les filles se lèvent et regardent les brochures publicitaires vantant différentes destinations. Vicky en commente une avec émotion :

— Las Vegas... C'est là qu'on aurait dû aller. Comme mon beau Bradley Cooper dans le film *Lendemain de veille* !

— Euh... je n'ai justement pas le goût que mon voyage ressemble à celui de ton beau Bradley ! s'insurge Caroline en feuilletant plutôt une revue sur la Côte d'Azur.

— Moi non plus, quand même ! Retrouver un tigre dans la salle de bain de ta chambre d'hôtel, non merci, ajoute Katia en guise d'appui, en se souvenant d'une scène assez extrême du long métrage.

— Moi, je me foutrais bien de me réveiller avec un félin dans ma chambre si j'étais avec lui ! Je suis certaine que je vais le croiser ! J'ai lu dans une revue à potins qu'il aimait bien le Mexique, rêve Vicky, en se mordant la lèvre inférieure avec envie.

L'agente de voyages interrompt soudainement leur conversation et leur annonce :

— Voilà, c'est officiel ! Vous partez au Mexique pour la relâche !

Les trois amies poussent des cris de joie et s'approchent les unes des autres en se trémoussant.

— OUUUUUH !

— OUUUUUH ! les imite la femme avec sa voix aiguë.

Elle se lève de son fauteuil en se dandinant sur place. Ses énormes seins remuent dans tous les sens, son déhanchement un peu trop lascif les faisant osciller de droite à gauche. Trouvant la scène un peu ridicule, Katia s'immobilise d'un seul coup et demande simplement :

— Il faut payer, je suppose ?

— Ouuuui, approuve la femme, qui met fin à son déhanchement en se rassoyant, toujours en riant.

Pour célébrer leur achat, les filles se rendent dans un bistro. Une fois assises, elles se réjouissent de nouveau à la perspective de partir en voyage.

— Là, c'est vrai de vrai !

— Oui, madame. À nous la plage, la mer, le soleil, les cocktails exotiques..., énumère Caroline, enthousiaste.

— Ah oui ? Les cocktails exotiques maintenant ? la taquine Katia, compte tenu de sa réticence à faire la fête depuis le début des pourparlers.

— Je vais tout de même faire un peu la *fiesta*, voyons ! Un peu...

Les filles commandent trois bières pression avant de continuer à parler du voyage pour laisser libre cours à leurs fantasmes.

— Mon *chum* a accepté tout de suite. Sans problème ! révèle Caroline, encore surprise, en se remémorant la scène. Il s'est probablement dit : «*Wow !* Une semaine tout seul en bobettes avec mon gars et avec le contrôle total de la télécommande !»

— Imaginez, on va se lever avec rien au programme pendant sept jours ; pas de soucis, pas de tracas, juste laisser le temps s'écouler doucement...

— Notre seule tâche de la journée : choisir un maillot..., renchérit Vicky, en extase devant le projet. Passer de l'hiver à l'été en un battement d'aile, ça doit être vraiment spécial aussi !

— La mer est-elle vraiment turquoise comme sur les photos ? Le sable aussi blanc ? demande Caroline, encore les yeux rivés sur les deux pages du catalogue montrant des clichés de leur hôtel, tous plus alléchants les uns que les autres.

— À Cuba, c'était exactement comme ça, se souvient Katia.

— Tout, tout est vraiment compris ? On ne paie rien à partir du départ de l'aéroport ? s'informe de nouveau Vicky, trouvant le concept génial.

— Rien !

— Tu commandes ce que tu veux dans les restos, au bar, n'importe quoi ?

Katia leur explique dans les menus détails les souvenirs qu'elle a de son complexe hôtelier de Varadero. Les filles l'écoutent attentivement et savourent chaque information.

— Je vais faire des recherches Internet pour mieux connaître le pays, s'emballe Caroline.

— Moi, je vais aller dans les salons de bronzage, pour arriver là-bas avec un teint basané du tonnerre !

— Les filles, ça va être tout simplement parfait ! lance Katia en levant bien haut son verre de bière.

LA VEILLE DU GRAND DÉPART...

Les filles discutent avec leur webcam à partir de leur chambre respective.

—Vous avez pris votre assurance voyage? demande Caroline sur un ton maternel condescendant.

—Pas besoin. C'est la seule chose d'intéressante qu'on a de comprise dans notre assurance collective de profs!

—Exactement, il faut en profiter. J'ai pris connaissance des modalités de la couverture et ça me paraît être une assurance de base convenable, affirme Katia, peu emballée par le sujet.

—Beaucoup trop de base, justement! Ce n'est pas assez complet. J'en ai parlé avec Éric et j'en ai acheté une plus complète. On ne sait jamais ce qui peut arriver. J'ai le document, ici. Je vais vous lire ce que j'ai d'inclus, précise Caroline en farfouillant dans une pile de feuilles sur sa table de chevet.

Les filles roulent des yeux, embêtées que Caro les entretienne d'un sujet aussi peu exaltant.

—Bon, naturellement, tous les frais médicaux, le transport et le rapatriement, blablabla, mais j'ai aussi une protection antiattaque aérienne et une clause comprenant le dédommagement des biens et des frais médicaux ainsi qu'une assurance vie supplémentaire en cas de tsunami.

—Bien là, attaque terroriste, tsunami, t'exagères..., envoie tout bonnement Vicky, découragée.

— Pour combien, tout ce beau forfait sécurité ?

— Seulement 234 $! Pas pire, hein ? répond fière-
ment Caroline en montrant à l'écran le montant de sa
facture.

— Franchement, Caro ! C'est de l'argent jeté par les
fenêtres ! On en a une gratuitement.

— Oui, mais probablement qu'elle ne couvre pas en
cas d'attaques aériennes et...

Vicky l'interrompt brusquement et lâche avec force
enthousiasme :

— J'ai hâte de partir !

— Avez-vous reçu vos vaccins ? s'informe Caroline,
encore très préoccupée par l'aspect santé-sécurité.

— J'avais déjà eu celui pour les hépatites, il y a un
petit bout, explique Vicky.

— Moi aussi, affirme à son tour Katia.

— Moi, je les ai tous pris ! annonce Caroline.

— Comment ça, « tous » les vaccins ? Il n'y en a pas
d'autres de recommandés pour ce genre de destination.
La chatte à l'agence de voyages nous l'a confirmé ! blague
Katia.

— Ha ! ha ! ha ! La chatte... Elle me faisait peur, moi !
plaisante Vicky pour tenter de détourner de nouveau la
discussion.

— Bien oui. Mais pour plus de précautions, j'ai reçu... attendez, j'ai ma feuille juste ici.

Les deux autres filles soupirent maintenant bruyamment, et sans gêne, dans leur webcam.

— Bon voilà : les deux hépatites, comme vous deux, le tétanos – mais ça c'était un rappel –, la typhoïde, la fièvre jaune et l'encéphalite japonaise, détaille fièrement Caroline en reposant sa feuille.

— L'affaire japonaise, ce n'est pas qu'au Japon, juste-ment ? présume Katia en écartant les bras.

— Non, seul le nom a trait au Japon. Les risques de la contracter sont surtout en Asie et en Afrique, mais on ne sait jamais. Le médecin spécialiste m'a dit que certaines maladies migrent parfois sans qu'on le sache. On n'est jamais trop prudent dans la vie !

— T'as été prudente pour combien de dollars, toi ?

— Ce n'est pas important...

— Combien ? Prudente pour 200-300 $, ou pour plus ? insiste Vicky.

— Plus... Mais je me répète : ce n'est pas important.

— Ayoye ! T'es malade !

— Non, justement. Je ne serai PAS malade ! précise Caroline. Et je me suis aussi procuré un sac de taille qu'on cache sous ses vêtements, pour ranger mon passeport et mon argent. Regardez, je vais vous montrer comment ça fonctionne.

À genoux sur son lit afin que la webcam cadre bien son abdomen à l'écran, elle installe ledit sac qu'elle dissimule subtilement sous son pantalon de pyjama.

— Incognito !

— Bien voyons ! Pas besoin d'un truc de ce genre. On ne s'en va pas en mission humanitaire au Bangladesh, Caro ! C'est un «tout inclus» ! Super sécuritaire ! Il y a des personnes âgées qui y séjournent. Il y a aussi des familles avec leurs bébés. On laisse nos effets personnels dans les chambres : il y a toujours un coffret de sûreté...

— Comme la chatte nous a dit à l'agence ! pouffe de rire Vicky, en reprenant l'expression de Katia.

— Ouais, mais quand on va sortir du complexe hôtelier..., fait remarquer Caroline, en levant un doigt en l'air avant d'enlever son sac de taille.

— Voyez-vous mon bronzage ? demande Vicky en approchant son visage de la caméra. Je suis retournée au salon tantôt.

— Non, pas vraiment.

— Non.

— Aaaaah...

— Bien moi, les seuls préparatifs que j'avais à faire, c'était de m'acheter des condoms et j'ai oublié !

— On en prendra en passant, demain, propose Vicky.

— T'as pas besoin de ça, toi, Vicky, réagit Caroline, surprise du commentaire puisqu'elle sait que Vicky fréquente toujours Christian.

— Écoute, ce n'est pas officiel. Je ne suis pas encore certaine que ce soit un bon parti. Je vous l'ai dit : je le trouve un peu casanier, des fois ! Plate ! En tout cas, je ne lui joue pas dans le dos, il sait très bien que nous ne formons pas un couple encore.

— Moi, je trouve ça correct, tu ne lui dois rien.

— S'il se passe quelque chose avec un gars là-bas, je ne voudrais pas qu'il le sache, par exemple, rectifie Vicky.

— Aucune chance !

— On part à quelle heure, déjà ?

— On passera chez vous à 5 h 15, rappelle Caroline.

— Elle est vraiment gentille, ta sœur, de nous conduire !

— Sinon, moi j'avais fait trois listes de kits pour pouvoir agencer mes souliers avec le plus de vêtements possible. Pas évident, hein, juste une valise par personne ! prétend Vicky, découragée de la restriction.

— Vic, on part juste sept jours. Je répète : sept jours !

— Je sais. Mais là, vous ne porterez pas le même linge deux fois, quand même !

— Les jupes et les shorts, peut-être, réfléchit Caroline sans trop se prononcer, désintéressée par le sujet «vêtements».

— Non! Moi, j'ai un maillot pour chaque jour et trois en extra!

— En extra de quoi?

— En cas de pépin! Ça peut arriver.

— Je ne vois pas ce qui peut arriver comme «pépin» à un maillot de bain, en voyage!

— Vicky a raison. Il peut surgir des imprévus n'importe quand durant un voyage à l'étranger, Kat, approuve Caroline.

— Voyons donc! C'est un «tout inclus»! Y en a pas, de problèmes!

JOUR 7
VOL AQ993
CANCÚN–MONTRÉAL
14 H 20

— Donc, tout le monde est d'accord ? C'est très sérieux, les filles. On se fait la promesse que : «Ce qui s'est passé au Mexique reste au Mexique»…, déclare solennellement Vicky, avant de se remettre à se ronger les ongles compulsivement.

— Tu dis ! Je ne voudrais pas perdre ma licence d'enseignement. J'ai peine à croire que tout ça s'est passé uniquement dans un seul voyage…, affirme Katia, découragée.

Caroline et Vicky répondent d'un léger signe de tête. Embarquées dans l'avion depuis plusieurs minutes, les filles se dévisagent sans rien dire. Vicky, qui vient de pleurer un bon coup, renifle tapageusement. Bien calée près du hublot, Caroline détourne la tête de ses amies pour épier les signaleurs de piste. À l'aide de témoins lumineux, ils effectuent de larges mouvements afin de diriger le pilote vers la bonne piste de décollage. Katia, assise au milieu, pose l'arrière de son crâne sur l'appuie-tête et lève les yeux au-dessus d'elle. Elle fixe stoïquement les deux boutons-poussoir, l'un étant destiné pour la lumière, l'autre pour appeler un agent de bord. Ses yeux bifurquent vers la valve en spiral qui laisse échapper un filet d'air rafraîchissant. Elle la fait légèrement pivoter pour diriger l'air directement sur elle. Sa manœuvre terminée, elle souffle bruyamment en gonflant les joues.

Vicky, affalée sur le siège jouxtant l'allée, tient toujours en main son mouchoir usagé.

— Calvaire! fait-elle en secouant la tête de gauche à droite, avant de se moucher de nouveau le nez.

Elle tourne la tête vers l'allée et blasphème encore plus fort que la première fois. Une femme assise dans la rangée centrale, de biais avec elles, se retourne pour identifier qui jure ainsi comme un charretier.

— Ça va aller, tente de la rassurer Katia, d'une voix peu convaincue.

— Bien oui, même superbement, ironise Vicky en se tournant vers son amie.

Celle-ci baisse les yeux, ne sachant que dire de plus. Un lourd silence semble envahir la cabine de la classe économique au grand complet.

— On peut au moins se dire qu'on a eu l'air moins folles à l'aéroport du Mexique qu'au départ de Montréal, souligne Caroline, histoire de faire ressortir le positif, profitant du fait que Vicky semble se calmer.

— Bien oui. Mais réalises-tu que je vais être fauchée jusqu'à Noël prochain! Déjà que le voyage était un gros luxe, emprunté à Madame Visa! Je n'ai pas encore de poste permanent comme vous deux, moi, à l'école. Si je me retrouve avec une demi-tâche d'enseignement l'année prochaine, je fais quoi? rage Vicky, soudainement plus furieuse que triste.

— Tu vois ça pire que c'est, Vic!

Les filles adoptent un silence mutuel à la suite du pessimisme, voire la paranoïa, exprimé par leur amie. Elles comprennent qu'il est inutile, pour le moment, d'essayer de discuter. Consciente qu'elle a une fois de plus gâché l'ambiance, Vicky tente de se reprendre en souriant ironiquement :

— Ça va aller ! Je vais juste réhypothéquer mon *condo* !

— Je regrette vraiment qu'on ne se soit pas renseignées AVANT de partir, déplore Caroline, confuse à l'égard du sort de son amie.

JOUR 1
AÉROPORT PIERRE-ELLIOTT-TRUDEAU
ENREGISTREMENT DES
PASSAGERS

Après avoir attendu pendant près d'une heure dans une interminable file, les filles accèdent finalement au comptoir des enregistrements. Un peu expéditive dans ses faits et gestes, l'employée de la compagnie aérienne lève à peine les yeux vers elles avant de tendre mécaniquement la main pour y recevoir leurs passeports.

— Bonjour ! dit Vicky avec ostentation, dans le but de rappeler à la femme de saluer la clientèle d'abord.

L'employée fait mine de ne pas l'entendre et poursuit sa tâche, les yeux rivés sur l'écran encastré dans le comptoir devant elle.

— Voici vos cartes d'embarquement. Veuillez maintenant placer à tour de rôle vos valises ici, sur la balance, explique la femme, un sourire forcé sur le visage, en toisant les trois futures vacancières.

Excitées que le moment du départ soit enfin arrivé, celles-ci se regardent, heureuses, en se retroussant le nez. Katia est la première à mettre sa valise sur le tapis roulant. La préposée à l'enregistrement sort une longue étiquette autocollante qu'elle attache à la poignée de sa grosse mallette.

— Suivante, dit-elle sèchement.

— Ça me fait très plaisir ! Voilà ! exagère Vicky, en déposant de peine et de misère son immense valise.

— Oups ! Pas certaine que ça va vous faire « plaisir », moi. Vous êtes en surplus de poids, et de beaucoup en plus… Laissez-moi calculer, annonce l'employée, qui saisit une feuille plastifiée sur laquelle figure le tableau des tarifications.

Les trois amies se lancent des regards interrogateurs en attendant la suite. Caroline chuchote :

— Je ne savais même pas qu'il y avait des limites de poids pour les bagages…

Katia, un peu surprise aussi, murmure en direction de ses amies :

— Oui, ça fait déjà quelques années, quelqu'un me l'avait dit. Mais je croyais que c'était surtout pour ceux qui avaient de bien plus grosses valises que ça.

— Pas grave! Ça vaut la peine de débourser vingt ou trente dollars de plus pour avoir tous les vêtements qu'on aime, répond Vicky à mi-voix, en sortant expressément son portefeuille afin de ne pas retarder l'enregistrement des autres passagers.

— Ça fera un beau total de 240 $ plus taxes, donc 275,94 $.

— PARDON! rugit Vicky, en écartant les bras en guise de stupéfaction.

— Cela inclut votre vol de retour. On fait payer tout de suite pour les deux vols. Commode, non? tempère la préposée, en croyant que cette dernière information pourrait amener sa cliente à acquitter le paiement au plus vite.

— Bien là..., pleurniche Vicky, qui se tourne vers les filles en les implorant silencieusement de faire quelque chose.

— C'est dispendieux, madame..., fait remarquer Katia, avant de se tourner pour jeter un regard impuissant à l'endroit de son amie.

— Écoutez, on n'est pas ici pour réviser la grille de tarification! Vous pouvez toujours diviser un peu le poids en transférant des choses dans la valise de votre compagne. L'autre valise est déjà partie, il est donc trop tard, propose la femme en soupirant d'agacement. Dépêchez-vous! Mettez l'autre valise sur la pesée, je vais vous dire combien de poids vous pouvez céder à votre compagne.

Les filles s'exécutent avec précipitation. Un homme, derrière elles, sort de la file pour se plaindre :

— C'est long, madame ! On attend debout, ici !

— Désolée, monsieur. Je suis à vous dans une minute, s'excuse-t-elle, la main en l'air, comme pour lui signifier que la situation l'exaspère elle aussi.

Vicky fusille l'homme du regard avant de se retourner vers la préposée, qui lui annonce avec impétuosité :

— Bon ! Vous pouvez vous délester de deux kilogrammes seulement, car la valise de madame fait déjà vingt et un kilos ; la limite est vingt-trois. Ça va diminuer votre tarif d'environ 40 $. Vous pouvez vous mettre par là, je dois poursuivre l'enregistrement des autres passagers.

L'homme s'avance impatiemment de quelques pas avant même que les filles ne se soient déplacées.

— On est en VA-CAN-CES tout le monde ! lâche Vicky, les yeux remplis de reproches, en prenant bien soin de détacher les syllabes du mot «vacances».

— Viens ! viens ! suggère doucement Caroline en la tirant légèrement par le bras.

— Non mais, tout le monde est bête ! Bon, c'est quoi des kilos ? On n'utilise jamais ça dans la vie !

— Ça fait autour de trois ou quatre livres, explique Katia, en observant les filles ouvrir rapidement leur valise.

— Oui, c'est vrai! se souvient Vicky, un peu amnésique en raison de l'énervement.

— Ouache! Pourquoi t'as apporté ça, Caro? se surprend Katia en analysant un article bien en évidence sur le dessus de sa valise.

— Bien quoi?

— On ne s'en va pas faire un safari dans la brousse africaine! rigole Katia, qui agrippe un chapeau vert muni d'une moustiquaire intégrée afin de faire fi aux insectes.

— Il n'y a pas de foyer de malaria de répertorié officiellement sur le territoire du Mexique, mais je ne veux quand même pas me faire piquer par des bibittes mexicaines, justifie Caroline en rattrapant brusquement son chapeau.

— Sérieusement, tu ne vas pas porter ça! s'écrie Vicky, avec austérité.

— Pas tout le temps, rectifie Caroline, en replaçant soigneusement ledit couvre-chef, sans affronter le regard désapprobateur de «princesse Vicky».

— Eille, la tonne de vedettes hollywoodiennes qu'on va croiser vont se sauver en courant en voyant une affaire de même déambuler sur la plage! panique Vicky, les yeux réellement affolés.

— Laisse faire ton Bradley Cooper et embraye ton transfert de linge! la presse Katia en voyant l'enregistrement aller bon train.

— Quatre livres ? Ça représente quoi, en vêtements ? Ce n'est pas évident...

— Pense à une livre de steak haché ! suggère Katia.

— Ça, ça et ça, disons ? demande Vicky en prenant des morceaux dans ses mains.

Les filles évaluent grossièrement les vêtements qu'elle tient et ajoutent quelques articles supplémentaires. Caroline conclut, en fermant sa valise :

— Bon, ça devrait aller !

— Ton chapeau de cultivateur d'abeilles, laisse-le ici. Ça va me faire quelques livres de plus, ça a l'air assez lourd ! la nargue de nouveau Vicky.

— Non ! Toi, par contre, tu devrais jeter un peu de ton linge... Ça n'a pas de bon sens, payer presque 250 $!

— Jeter mes vêtements ? T'es complètement cinglée ? Jamais !

La femme fait signe aux filles de se mettre devant la file, afin de terminer l'enregistrement. Certaines personnes s'offusquent en revoyant les filles passer devant elles.

— Bon ! On va y arriver, marmonne ironiquement l'employée de la compagnie aérienne, en secouant la tête de gauche à droite.

JOUR 7
VOL AQ993
CANCÚN–MONTRÉAL
14 H 27

— D'où l'importance de s'informer avant..., moralise Caroline en grimaçant un peu.

Vicky laisse échapper un petit rire nerveux. Les filles, surprises, mais surtout soulagées de la voir enfin réagir positivement, la pressent de questions :

— Quoi ?

— Votre passe de nouilles au contrôle de sécurité est pas pire aussi ! La cochonne et la terroriste ! lance-t-elle en se remémorant leurs péripéties au départ de Montréal.

— Pfft ! répond Katia en roulant des yeux.

— Dans mon cas, je dirais plutôt «l'ignorante» que la terroriste ! explique Caroline en rougissant, honteuse.

JOUR 1
AÉROPORT PIERRE-ELLIOTT-TRUDEAU
CONTRÔLE DE SÉCURITÉ

— C'est toujours stressant ça, hein ? affirme Vicky, debout parmi le grand nombre de voyageurs, attendant en rang d'oignons devant l'imposante section du contrôle de sécurité.

— Moi, c'est la première fois que je vois ça ; de loin, j'avoue que c'est vraiment impressionnant. Ils font enlever les chaussures à tout le monde, on dirait ? s'inquiète Caroline, en s'intéressant à la rigueur de cette procédure.

— Ça dépend des pays.

— De toute façon, on a l'allure de trois gentilles professeures qui prennent un congé bien mérité ! déclare Caroline, en levant la tête, l'air fier.

Les vacancières discutent de tout et de rien jusqu'à ce que leur tour arrive. Une agente dirige les gens vers les six postes de contrôle ouverts ce jour-là. Elles se séparent pour se rendre dans la rangée que la femme, d'une carrure plus qu'imposante, leur désigne. Caroline, inaccoutumée à ce genre de procédure, dépose son bagage à main et ses souliers dans un bac en plastique, mais garde son sac à main sous son bras au moment de se diriger vers le détecteur de métal. Un contrôleur l'interpelle avant qu'elle ne franchisse l'enceinte.

— Madame, vous devez mettre tout ce qui vous accompagne ici dans un autre bac en plastique. Votre ceinture, ainsi que tout ce que vous avez dans vos poches, votre montre, votre chandail, si vous en avez un autre en dessous…

— Excusez-moi, je ne savais pas…

Elle s'exécute, jusqu'à ce qu'elle aperçoive l'agent affecté aux rayons X appeler un collègue. Un autre homme la presse de passer sous le détecteur de métal qui demeure silencieux.

— C'est à vous ce sac, madame ? demande un agent, en désignant son bagage à main.

— Et ça aussi ? s'informe un autre, en montrant le bac contenant son sac à main.

— Oui, répond nerveusement Caroline, inquiète, en s'interrogeant sur la normalité de la situation.

— Veuillez nous suivre, madame, la prie un agent qui reste près d'elle le temps qu'elle enfile souliers et ceinture.

Les deux contrôleurs l'escortent jusqu'à une salle adjacente au poste de contrôle.

— Madame, nous croyons avoir détecté des objets interdits dans vos deux bagages. Nous permettez-vous d'en vérifier le contenu ?

— Oui, répond Caroline, totalement prise au dépourvu.

Les deux agents revêtent des gants de Kevlar et déposent ses effets personnels sur une grande table grise, après les avoir retirés soigneusement de ses bagages. Une femme en uniforme pénètre dans la pièce, sans rien dire, pour servir de témoin oculaire. Un des hommes demande :

— Avez-vous laissé vos bagages sans surveillance, madame ?

— Non.

Un des deux agents sort de son bagage à main un pulvérisateur de poivre de Cayenne pour chien, et l'autre pose sur la table une paire de petits ciseaux, un coupe-ongle et un instrument en métal nécessaire pour retirer les cuticules. Ils sortent aussi à tour de rôle divers produits de beauté, dont un gel douche liquide, un produit pour verres de contact et un fixatif en aérosol pour cheveux. Tous dans des formats dépassant largement la quantité de millilitres autorisée dans l'avion.

— Madame, ces objets pourraient être considérés comme des armes à bord d'un avion, déclare un des hommes, sur un ton sévère.

— Pardon ? fait Caroline, surprise, en fixant à la fois le petit coupe-ongle et le gel douche.

— Pourquoi apportez-vous une bouteille de poivre de Cayenne à bord d'un Airbus ?

— J'ai lu dans une revue de voyage que plusieurs chiens d'Amérique du Sud étaient porteurs de la rage ; je me suis dit qu'avec ça je pourrais les éloigner en cas d'attaque.

— Est-ce que c'est la première fois que vous voyagez, madame ? demande la douanière, toujours debout près de la porte.

Caroline acquiesce de la tête, les yeux effarés.

La femme en question réquisitionne son passeport pour vérification, puis les autres agents restent avec elle dans la salle.

Pendant ce temps, à la sortie des autres postes de contrôle, Vicky retrouve Katia qui semble paniquée.

— Où est Caro ?

— Je ne sais pas. J'ai eu l'air assez stupide devant les agents que je n'ai rien fait d'autre que de regarder le plancher, lui avoue Katia, en pressant quelque peu le pas pour s'éloigner des postes de contrôle.

— Pourquoi ?

— Moi, la conne, j'ai acheté mes condoms-de-fille-célibataire-qui-part-dans-le-Sud tard hier soir. Je les ai glissés dans mon bagage à main, en me disant «je les changerai de place en arrivant chez Caro», mais comme on est parties vite, j'ai oublié.

— C'est pas grave ça, les agents doivent sûrement en avoir vu d'autres. Tu n'en as pas emmené tant que ça, quand même, la rassure Vicky en jetant un regard aux alentours, toujours à la recherche de la voyageuse manquante.

— Deux boîtes de douze, avec trois en extra ! Plus une boîte de tampons super absorbants à côté... Le gars a exhibé le tout à la vue de tout le monde en fouillant mon sac. Il m'a vraiment dévisagée, semblant dire : «Euh, tu vas t'envoyer en l'air comme une déchaînée ou t'es dans ta semaine ? »

Vicky lui renvoie la même expression, pour lui signifier qu'elle se pose aussi la question.

— Aaahhh ! Je termine d'être dans ma semaine dans environ deux jours, répond Katia, exaspérée que ce détail menstruel semble avoir tant d'importance.

— Je n'aperçois vraiment pas Caro...

— Misère! J'espère qu'elle ne s'est pas perdue, elle n'est jamais venue ici! Va voir dans les toilettes, là-bas, je vais rester ici à l'attendre.

JOUR 7

VOL AQ993
CANCÚN–MONTRÉAL
14 H 33

— Une heure et demie dans le petit bureau à tenter de les convaincre que je n'étais pas affiliée d'aucune façon que ce soit à la bande de Gaza! Imaginez! se remémore Caroline, en secouant la tête de découragement.

— Nous, on se disait: «Bon, ils vont l'appeler à l'interphone. Et si elle n'arrive pas, on y va quand même ou on reste ici?», expose Vicky en toute honnêteté.

— De toute façon, une agente de bord nous avait expliqué que, si tu ne te pointais pas à l'embarquement, l'avion ne décollerait pas tant que ta valise ne serait pas identifiée et sortie de la soute à bagages. Par mesure de sécurité, au cas où tu aurais mis des explosifs dedans.

— Eille, franchement! En tout cas, méchante histoire...

— Tu dis: la cochonne-menstru et la potentielle prof-terroriste qui s'achète justement une assurance voyage antiterroriste! rigole de nouveau Vicky, divertie à souhait par le loufoque de la situation.

— Imaginez, j'aurais été dédommagée financièrement par ma compagnie d'assurance pour ma propre attaque aérienne! Quand même!

— Je pense que t'aurais eu de la difficulté à obtenir le montant de ta réclamation!

— Dans la même veine, on ne peut pas dire que notre arrivée en sol mexicain fut un grand succès non plus, se rappelle encore Caroline.

— C'est courant, dans le Sud, ce genre de situation; une de mes tantes l'a déjà vécue, explique Katia.

— Y a-t-il quelque chose qui a été une réussite dans ce voyage-là, de toute façon? s'interroge Vicky, les deux mains dans les airs.

JOUR 1

PLAYA LUNA RESORT
CANCÚN, MEXIQUE

Le vaste hall de l'hôtel est majestueux. De grandes colonnes de marbre entourent un jardin d'eau garni de plantes toutes plus exotiques les unes que les autres. De longues lianes vert foncé pendent du plafond cathédral vitré, ce qui en accentue la hauteur. Près de l'imposant comptoir de la réception, des mariachis, vêtus à la mexicaine, accueillent les arrivants au son d'une musique traditionnelle entraînante.

Debout dans la file, les trois vacancières tournent la tête dans tous les sens, en attendant patiemment qu'on leur donne les clés de leur chambre. Un charmant jeune homme latino s'avance vers elles, un plateau chargé de cocktails exotiques à la main. Il incline poliment la tête vers l'avant pour les prier de se servir.

— *Wow !* On peut dire que ça commence vraiment bien les vacances ! s'excite Caroline, en penchant à son tour la tête pour remercier l'homme de son attention.

— La grande classe ! ajoute Vicky, qui saisit également un verre de punch fruité.

— C'est juste un hôtel trois étoiles et demi. Mais au Mexique, il paraît que c'est comme des quatre étoiles ailleurs, explique Katia.

— La chambre sera sûrement immense avec trois grands lits, fantasme Caroline, emballée.

Comme le serveur reste près d'elles bien qu'elles se soient servies, Caroline interroge ses amies en sourcillant. Le Mexicain montre l'intérieur de son plateau de façon non subtile, et fixe les quelques billets d'un dollar américain qui en tapissent le fond.

— Ah ! Il veut un pourboire..., réalise Katia, qui sort immédiatement un dollar de papier de sa poche pour le déposer dans le plateau.

— Il faut toujours les payer comme ça ? s'étonne Vicky, pendant que le serveur s'éloigne, l'air satisfait.

— Tu leur donnes juste quelques dollars ici et là pour obtenir du bon service.

Leur tour étant venu, la dame derrière le comptoir leur fait signe d'avancer. Après avoir jeté un œil à leur feuille de réservation, elle leur remet trois cartes en guise de clés avant de leur attacher au poignet le bracelet couleur bleu royal à l'effigie du complexe hôtelier. Elle leur tend aussi trois serviettes d'un bleu semblable et leur précise que, si elles les perdent, elles devront débourser 20$ pour en recevoir de nouvelles. Elle leur demande également de signer une feuille de consentement, indiquant que tout bris matériel, que ce soit dans leur chambre ou sur le site du complexe, leur sera facturé à leur départ.

— *¡Gracias!*[1] répond Katia avec un accent plus ou moins assumé.

Les filles quittent le hall pour se diriger vers le complexe.

— Tu parles espagnol? s'étonne Caro, impressionnée.

— Non, je sais juste dire: «*gracias*[1]», «*por favor*[2]» et «*cerveza*[3]»...

Caroline écoute à peine sa réponse. Elle vient de voir apparaître devant elle les grands palmiers qui ornent

---

1. Merci.
2. S'il vous plaît.
3. Bière.

l'immense piscine centrale, dont l'eau est d'un magnifique bleu azur. Vicky saute sur place, laissant basculer sa lourde valise à roulettes sur le pavé.

— *Wow !* crie-t-elle en admirant le splendide panorama.

— Mon Dieu ! Ça n'a pas de bon sens ! approuve Caroline, tout aussi excitée.

Les filles se sautent dans les bras, en ayant peine à croire qu'elles sont réellement là, à vivre le moment attendu depuis des mois. Katia, contente elle aussi, les presse tout de même un peu :

— Vite ! On va porter nos valises à la chambre et on court à la plage !

Au même moment, deux employés s'emparent de leurs valises, en jetant un œil sur leur feuille de réservation pour y voir le numéro de leur chambre.

— Ils portent les bagages, en plus ! Le gros luxe !

Les trois amies trottinent derrière les bagagistes. Pendant de longues minutes, elles les suivent dans les sentiers sinueux menant aux différents bâtiments à deux étages où se trouvent les chambres. Les yeux grands ouverts, elles tentent de tout voir en même temps.

— J'espère qu'on sera au deuxième et qu'on aura une vue sur la mer ! souhaite Caroline, qui trépigne d'excitation à l'idée de découvrir leur chambre.

— Non, au premier ce serait mieux ! On se trouverait plus dans l'action !

En arrivant près du module numéro 2200, les filles cherchent des yeux la chambre 2201-A.

— C'est juste ici! affirme Caroline, qui a devancé les deux Latino-Américains dans son exaltation.

Katia, qui a marché au même rythme qu'elle, tente d'ouvrir la porte avec sa carte magnétique, mais celle-ci reste verrouillée.

— Voyons? Ça ne fonctionne pas?

— *No*! lance un des hommes, en leur faisant signe de poursuivre plus loin dans le couloir.

— Ah! Attends. Nous, c'est la 2201-A et non juste 2201..., remarque Katia sur la feuille de réservation.

L'édifice de deux étages semble abriter seulement huit chambres. Devant elles se dresse un escalier qui conduit aux pièces du niveau supérieur. Au fond du couloir de droite, une porte grande ouverte laisse apparaître un placard à balais, qui contient tout le nécessaire pour l'entretien des chambres. Ne trouvant visiblement pas la leur, elles se résignent à attendre les bagagistes.

— Vous êtes trop pressées, affirme Vicky en arrivant avec eux.

Un des hommes arpente le couloir jusqu'au bout et referme la porte du placard à balais. Après avoir dépassé ladite porte, Caro s'écrit:

— Ah! C'est là, après le placard. À cause de la porte, on ne pouvait même pas la voir!

Vicky insère rapidement la carte magnétique et ouvre grand. Ses yeux s'écarquillent de nouveau, mais cette fois-ci de dégoût. Elle porte sa main au visage.

— Arrrrrrk !

Une odeur désagréable, commune aux lieux mal aérés et humides, règne dans la pièce. Les filles entrent d'un pas hésitant dans la minuscule chambre et se rendent ainsi jusqu'à la porte-fenêtre tout au fond. La vue, tout sauf paradisiaque, donne sur huit gigantesques conteneurs à déchets. Des oiseaux omnivores rachitiques picorent des restants de nourriture qui jonchent le sol tout autour des caisses métalliques. Caroline s'assoit sur un des lits qui grincent et ses fesses s'enfoncent profondément dans le matelas, visiblement trop mou. Elle explore la literie des yeux avant de pousser un cri :

— Ouache ! fait-elle en désignant du doigt d'épais cheveux frisés et noirs sur l'oreiller.

— Ah *shit* ! rugit à son tour Vicky en apercevant l'amas de poils itinérants.

— C'est un vrai cauchemar ! Comme dans l'émission *La Facture* ! s'époumone Caroline.

— Cibole ! Je ne dors pas ici, c'est clair ! déclare Vicky, catégorique.

Elle sort de l'endroit, les mains battant de chaque côté du corps.

— Une chance que la fille aux yeux de chat nous avait dit que c'étaient « de belles grandes chambres avec vue ».

Les photos du catalogue ne sont pas vraies pantoute! s'enrage de nouveau Caroline, en agitant aussi les bras.

— Calmez-vous! Je suis certaine qu'ils vont nous changer de chambre! Y a pas de problème! les rassure Katia, pas convaincue elle-même de ce qu'elle avance.

— Pas de problème! Pas de problème! On en a un «gros» problème, je trouve! rectifie Vicky, debout dans le corridor, les bras maintenant soudés de colère.

Un des bagagistes, qui n'a rien saisi de ce qui se passe pour des raisons de langue, avance vers elle, la main tendue, pour recevoir son pourboire.

— Quoi? Il veut de l'argent, en plus!

— *No good room!* explique simplement Katia, en désignant l'intérieur de la chambre de la main, pour leur faire comprendre qu'elles ne veulent pas habiter là.

— *¡Si! ¡Si! Good room!* les rassure un des Mexicains.

— *No!* l'obstine Katia, frondeuse.

Complètement désenchantées, les filles empoignent brusquement leurs valises respectives et retournent à la réception pour exiger une autre chambre. Les deux hommes tentent de reprendre leurs bagages pour les transporter. Elles refusent d'un geste de la main en accélérant le pas. Les deux Mexicains trottent derrière elles en discutant en espagnol, visiblement très confus de la situation. Arrivées à la réception, les filles refont la file d'attente, toujours aussi longue, avant de pouvoir reparler à la réceptionniste. Celle-ci semble surprise d'apprendre que les vacancières n'aiment pas leur chambre. Vu la contrariété manifeste de ses trois clientes, elle se résigne à consulter son registre. Malheureusement, elle leur annonce en anglais :

— *No room clean now... later...*

Katia, sûre d'elle, répond qu'elles attendront qu'une chambre plus salubre se libère. Elle ajoute qu'elles désirent en avoir une en bas, autour de la piscine. Encore surprise de ce choix, la femme leur en propose une un peu plus loin, pour qu'elles soient plus tranquilles. Katia refuse, en réitérant son désir d'être près de la piscine.

— Bonne idée, approuve Vicky.

— Oui, on va attendre certain. Si la chambre de tantôt était propre, imaginez lorsqu'elle ne l'est pas ! réfléchit Caro, dédaigneuse.

Au moment où elles s'apprêtent à s'éloigner, les deux bagagistes tendent de nouveau la main pour quémander leur pourboire. Katia fait non de la tête. D'un second geste de la main, l'un d'eux semble lui proposer de surveiller leurs bagages dans le hall, le temps que la nouvelle chambre soit prête. Autre refus formel de la part de Katia. Les filles, ayant convenu avec l'hôtelière qu'elles reviendraient chercher la clé dans deux heures, trimballent donc leurs bagages avec elles.

— C'est donc bien mal organisé ! Le petit *drink* de bienvenue, c'est pour faire distraction au cafouillage qui suit, se désole Caro, un peu désappointée de devoir traîner avec elle tous ses bagages.

— Ils veulent de l'argent comme ça tout le temps ? Mes bagages ont coûté assez cher de même, merci. Je ne vais pas repayer pour eux ici, en plus ! déclare Vicky, toujours aussi soucieuse de son budget.

— On n'est pas au Québec, hein ! Ils sont du genre « slomos et quémandeurs » dans le Sud, explique Katia. Pas grave, on va aller au bar près de la plage ! *No problemo !*

— Ah ! Tu viens de traduire ton expression fétiche ! rigole tout de même Vicky.

— Ce n'est pas « *no problema* » en espagnol ? fait Caro, mettant en doute la locution.

— Bien moi, ça sera *no problemo* ! rétorque Katia en bousculant un peu son amie pour lui signifier qu'on s'en balance.

Après avoir traversé le complexe hôtelier au grand complet, les vacancières retrouvent de nouveau leur excitation initiale en apercevant devant elles la mer turquoise. La plage à perte de vue, et ornée de sable blanc et fin, leur fait rapidement oublier l'imbroglio relativement à la chambre. En poussant des cris de joie, elles laissent leurs valises près du bar, enlèvent leurs souliers et roulent leur pantalon avant de s'élancer vers la plage. Elles virevoltent en tous sens, émerveillées par tant de beauté. Le soleil chaud et puissant donne à la mer des reflets translucides, desquels percent différents tons de verdâtre et de bleuté. Après avoir foulé le sable pendant de longues minutes, elles reviennent près du bar. Elles commandent illico trois cocktails puis choquent gaiement leurs verres ensemble.

— Au moins, la plage est vraiment comme sur les images !

— Pareille !

— Bonne semaine à toutes ! déclare Katia.

— Comment ne pas passer une belle semaine dans ce paradis ? Sans oublier que tout est gratuit... à partir de maintenant, disons ! souligne Vicky.

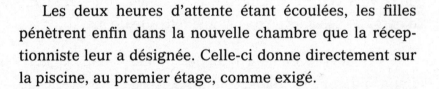

Les deux heures d'attente étant écoulées, les filles pénètrent enfin dans la nouvelle chambre que la réceptionniste leur a désignée. Celle-ci donne directement sur la piscine, au premier étage, comme exigé.

— On peut presque sortir sur le balcon et sauter dans l'eau, apprécie Vicky.

— Je suis déjà un peu soûle, là ! annonce tout bonnement Caroline, en s'assoyant sur un des deux lits.

Un lit portatif encore plié se trouve dans la chambre, appuyé contre le mur du fond. Les filles admirent avec enthousiasme leur nouvel environnement. Un gracieux cygne, fabriqué avec des serviettes de bain, trône fièrement sur un des deux couvre-lits. Plusieurs fleurs d'hibiscus rouge vif, placées aléatoirement devant l'oiseau, semblent lui servir de rivière fictive. À l'aide d'une partie de roche-papier-ciseaux, les filles déterminent qui dormira dans le lit de fortune. Caroline perd.

— Pas grave! Ça ne me dérange pas! On fait quoi, là?

— On enfile un maillot et on retourne sur la plage, ordonne Katia, qui ouvre avec hâte sa valise afin d'agripper le premier accessible.

— Je ne sais pas quel bikini choisir en premier! avoue Vicky, excitée comme une puce.

Caroline et Katia s'enduisent rapidement, mais généreusement, de crème solaire avant d'en offrir à Vicky.

— Non, pas besoin, je suis allée au salon de bronzage deux fois cette semaine! déclare celle-ci en terminant d'épingler ses cheveux avec une barrette de métal.

— Tu devrais en mettre un peu quand même, suggère Katia qui sait, en toute connaissance de cause, que le soleil du Sud s'avère assez puissant.

— Au Québec, même au tout début de l'été, je n'en mets jamais. J'ai la peau plutôt foncée d'avance. Je ne brûlerai pas, confirme Vicky en se poudrant légèrement le visage.

— J'ai un peu faim, affirme Caroline en sortant de la chambre.

— Pas tout de suite. Retournons d'abord prendre un verre près de la plage. On y trouvera probablement un casse-croûte.

Quelques heures plus tard, Katia revient une fois de plus près des chaises de plage, avec en main trois daïquiris aux fraises.

— J'ai trouvé les premiers forts en alcool, mais là ça va, avoue Katia, déjà à moitié soûle, en se déhanchant au son de la musique latine que crachent d'immenses haut-parleurs près du bar de la plage.

— C'est vraiment le paradis, s'exclame Vicky, étendue au soleil dans une position gracieuse et réfléchie, un genou légèrement relevé vers le ciel.

— Hein ! Le gars là-bas vend des noix de coco fraîches ! s'écrie Caro, en remarquant un vendeur itinérant déambuler sur la plage avec un cabaret. J'en veux une !

Motivée, elle lui envoie un grand signe de la main ; le vendeur sourit en avançant vers elle. Il s'adresse à Caroline en espagnol, mais elle ne saisit pas très bien ce qu'il lui propose. Elle l'observe avec fascination couper adroitement la noix. Il y ajoute une mixture assez épaisse, blanchâtre et laiteuse. Elle prend quelques clichés pour immortaliser la scène. Après avoir payé l'homme, elle prie les filles de prendre des photos d'elle, fière de tenir son cocktail exotique, avant d'aspirer une bonne gorgée du produit non identifié.

— Ça a un drôle de goût ; c'est fort en alcool, mais le réceptacle est tellement tropical !

Pendant que l'homme s'éloigne avec sa cargaison de noix, une Mexicaine s'avance à son tour. Elle tient dans ses mains une large mèche de cheveux synthétiques et leur présente plusieurs modèles de tresses, ornées de perles multicolores.

— Ooooooooh! Je veux m'en faire faire! s'égosille Caroline, qui prend entre ses doigts les différents modèles pour établir son choix.

— Des tresses? T'es certaine? demande Vicky, pas convaincue de la démarche impulsive de son amie et de l'esthétisme réel de la chose.

— Oui, pour la semaine, seulement. Ça sera pratique et confortable à cause de la chaleur! s'excite Caro en choisissant la couleur de ses billes.

— Coudonc! s'étonne Katia, trouvant elle aussi l'idée un peu bizarre.

La femme pose son sac sur la chaise et s'installe derrière sa cliente. Une autre Mexicaine se joint à elle afin d'accélérer le travail, car il s'agit d'une tâche longue et laborieuse. Les deux autres filles scrutent les alentours, debout au gros soleil, le nez en l'air, tout en continuant de boire.

— Eille! Regardez là-bas! On dirait Will Smith! s'écrie Vicky presque en transe, en pointant de façon ostentatoire un homme de race noire, au loin, venant dans leur direction.

— Hein? Ben non! Espèce de *groupie*, va! s'amuse Katia, avant de terminer son verre d'un trait et de retourner au bar.

Celle-ci revient munie de petits verres de téquila avec citron.

— Mon Dieu ! Il est un peu tôt pour les *shooters*, non ? s'étonne Caroline, la tête bien droite, afin de permettre aux tresseuses de bien réussir sa coiffure.

— On est au Mexique ! Il faut fêter ça en prenant une téquila !

— Ouache ! Je n'ai jamais aimé ça ! avoue Vicky en toisant son petit verre avec dégoût.

— Pourquoi elle est brune comme du rhum ? remarque Caroline en analysant aussi le contenu de son verre.

— Ici, ils appellent ça du mescal, et non de la téquila. Le serveur a essayé de me dire pourquoi, mais avec mon espagnol limité, je n'ai pas compris grand-chose !

— Bon bien, cul sec !

— ¡Salud !⁴

Les filles avalent le contenu d'un trait en grimaçant en prévision de la sensation désagréable. Tout compte fait, le goût s'avère moins infect qu'elles ne l'appréhendaient.

— Mmmm ! C'est meilleur qu'au Québec ! note Vicky en déposant son verre sur l'anneau de bois qui encercle le parasol de bambou.

---

4. Santé !

— C'est fort quand même, mais c'est vrai que c'est mieux que la téquila blanche !

— Une autre ? propose Katia, incontestablement sur le *party*.

— Non, une pause, sinon on va être «pafs» avant le coucher du soleil !

— Bien, je vais me recruter des amis au bar pour m'accompagner, affirme Katia qui s'y dirige de nouveau. Je vous rapporterai des daïquiris aux fraises !

En s'éloignant, elle bute sur un petit monticule de sable, mais pose instinctivement sa main sur un parasol pour éviter de tomber.

— Oups ! fait-elle en direction de vacanciers, qui ont bien vu qu'elle a failli chuter, puis elle poursuit sa route.

JOUR 7
VOL AQ993
CANCÚN–MONTRÉAL
14 H 46

Silencieuse et bien calée au fond de son siège, Caroline fait défiler les photos sur son appareil. Elle confesse :

— J'ai-tu hâte des défaire mes maususses de tresses, vous pensez ! Pu capable ! Tiens ! Le voilà, le super vendeur de noix de coco !

— Pas de noix de coco, de noix de «gastro» ! T'en as bu trois, c'était beaucoup trop..., se remémore Vicky.

Celle-ci roule la tête sur le côté et ramène son visage près de celui de Katia pour continuer de regarder les photos de son amie.

— Ce n'était même pas bon. Je voulais juste prendre de belles photos, avoue Caroline.

— On n'a pas été de super vacancières intelligentes à notre arrivée...

— À qui le dis-tu ! J'en porte encore les marques ! affirme Vicky, peu fière d'elle.

Elle scrute ses avant-bras, qui présentent encore des traces évidentes de bronzage inégal.

— Pas vraiment «l'exemple» que des profs dignes de ce nom doivent donner, se torture Caroline, toujours soucieuse d'honorer la profession, et ce, en tout temps.

— Caro, on était quand même en vacances. Le plus drôle, c'est quand Vicky a acheté son affreux sombrero sur la plage en fin de journée, croyant diminuer ainsi les effets de son coup de soleil, se rappelle Katia, qui cherche à son tour sur son appareil photo un cliché pour illustrer son affirmation.

— Pfft ! Je n'ai même pas porté ça en public ! ment Vicky, honteuse d'avoir effectivement arboré publiquement un chapeau aussi horrible.

— Ah non ? Tu n'as pas porté ça ! C'est qui, elle ? lui demande Katia en montrant une photo de son amie sur la plage, fière de se faire poser avec son imposant couvre-chef.

— Ark! C'est horrible! J'étais vraiment soûle, justifie-t-elle, découragée, en arrêtant son regard à peine quatre secondes sur ledit cliché. Ouache! Efface ça! ordonne-t-elle, en tentant d'arracher l'appareil des mains de son amie.

— Jamais, c'est trop drôle! Ça s'en va directement sur mon mur Facebook dès notre retour, la nargue Katia, l'air d'affirmer une décision ferme et définitive.

— Eille! JAMAIS!

Les filles s'esclaffent un moment, en examinant quelques photos défiler en alternance sur les écrans des deux appareils. L'une présente Caroline, très mal en point le lendemain du premier jour, étendue sur le lit, les pieds bien à plat au sol, comme prête à se relever à tout moment.

— Caro... Quand je repense à ce que tu as fait dans le bain, je n'en reviens toujours pas! éclate de rire Katia, pliée en deux.

— Moi non plus...

JOUR 2

PLAYA LUNA RESORT
CANCÚN, MEXIQUE

— Sérieusement, Caro, sors vite de la salle de bain, je *feel* vraiment mal MAINTENANT! gémit Katia en frappant la porte de son poing, son autre main prenant appui sur le mur.

À peine la porte entrouverte, Katia bouscule son amie pour vomir dans la cuvette. Pour sa part, Caroline, qui se prend le ventre à deux mains, s'assoit doucement au pied du lit de Katia, après s'y être déplacée à pas de tortue. Elle soupire de douleur.

— Je me sens tellement mal! se plaint-elle en se tournant vers Vicky.

Étendue en étoile sur son lit, Vicky soupire bruyamment à travers la débarbouillette mouillée qui lui recouvre le visage.

— J'ai chaud! L'air conditionné fonctionne vraiment au maximum? s'informe-t-elle, en se dégageant un œil pour lui permettre de voir son amie.

— C'est parce que t'es trop brûlée; il ne fait pas si chaud que ça ici, lui explique Caroline, qui s'étale finalement sur le lit en laissant sa colonne vertébrale se dérouler vertèbre par vertèbre.

— J'ai comme chaud en dehors de mon corps, mais froid en dedans...

— En tout cas, t'as raté ton yoga ce matin. Dire qu'on a choisi cet hôtel-là en fonction de cette «discipline spirituelle et corporelle qui vise à libérer l'esprit par la parfaite maîtrise de son corps», souligne Caroline dans un jargon scientifique pour taquiner son amie.

— Câline, c'est plate, hein! Il a mal, mon corps, en tout cas, ce matin.

— «Pas besoin de crème, voyons! J'ai le teint foncé...», l'imite Caroline en fixant toujours le plafond.

— OK! Madame la comique qui boit n'importe quoi dans des noix de coco!

Avec un bruit de fond désagréable, mettant en vedette Katia qui vomit toujours penchée au-dessus de la cuvette, les filles examinent le plafonnier en silence. Caro se redresse soudainement.

— Hish... Vite, Kat, il faut que tu sortes MAINTENANT, j'ai encore envie.

Elle s'élance vers la salle de bain et pousse la porte. Entre deux vomissements, Katia affiche une expression que son amie comprend d'emblée: elle ne peut pas lui céder la place maintenant.

— VITE! VITE! crie tout de même Caro, qui se tient l'arrière-train à deux mains.

Sachant qu'il n'y a pas de place pour deux sur la cuvette, elle enjambe la baignoire en tirant à peine le rideau. Les bruits qui s'ensuivent ne laissent aucun doute sur ce qui s'y passe.

— Voyons donc! crie-t-elle, en constatant l'absurdité de la situation.

— NON! Tu ne l'as pas fait dans le bain? s'écrit Vicky de son lit, après avoir soulevé sa débarbouillette de façon à bien se faire entendre.

Étourdie, voire en sueur, Caroline n'infirme rien. Katia trop occupée à gérer son propre malaise, ne réagit pas non plus. Après avoir lâché quelques soupirs en rafale, Katia se relève péniblement en s'accotant sur la lunette du bol de toilette et tire la chasse d'eau. Elle quitte la salle de bain après s'être abondamment rincé la bouche. Caroline profite de ce moment de « solitude » pour nettoyer ses dégâts.

— Eh bien, on aura tout vu ! Madame vient de déféquer tout bonnement dans notre baignoire ! déclare Vicky, fière de lui remettre la monnaie de sa pièce.

— J'ai jamais été « lendemain de brosse » de même ! lance Katia, en se laissant choir avec mollesse sur son lit vacant.

— On a vraiment trop bu, on n'a presque rien mangé et on a pris beaucoup trop de soleil, énumère Vicky. En conclusion, je pense que je suis brûlée au troisième degré. Je devrai me commander une greffe de peau mexicaine !

— Comme ça, tu seras bronzée à l'année... T'es rouge, sérieux, constate Katia, qui examine son amie dont l'habillement se résume à un slip et à une légère camisole, repliée sur ses seins, pour permettre à une surface épidermique maximale de respirer.

— Désolée pour le bain, les filles. Je sors de ce pas chercher la femme de chambre ; elle doit bien avoir un produit nettoyant.

À peine sortie dans le couloir, Caroline revient en courant dans la salle de bain en blasphémant. Maintenant habituées de la voir ainsi en mode urgence depuis l'aube, les filles ne font même pas de commentaire.

— Il est quelle heure, là?

— Il est 7 h 30, confirme Katia, après avoir saisi sa montre sur la table de chevet.

Vicky, qui se lève de peine et de misère de son lit, propose:

— Ouvrons au moins les rideaux; le soleil va peut-être nous donner un peu de vitalité.

En les faisant glisser doucement sur la tringle, elle sursaute en voyant une masse au sol.

— Ben voyons! Il y a un homme de couché par terre, devant notre «porte patio»!

— Hein?

— Kat! Il tient un de tes souliers à talons hauts dans sa main et il a quelque chose de noir d'attaché sur la tête...

Katia s'approche pour constater la scène et s'exclame, abasourdie:

— *My god!* C'est mon soutien-gorge noir, ça?

JOUR 7
VOL AQ993
CANCÚN–MONTRÉAL
14 H 52

— Ce n'est pas l'homme qui est là-bas, justement? murmure Caroline tout en pointant du menton un type assis quelques sièges devant elle, mais de biais.

— Je pense que oui ! Mais je n'en suis pas sûre, j'étais encore soûle ce matin-là ! avoue Katia. On ne comprendra jamais pourquoi il avait mes affaires...

— C'était de te voir l'air, quand tu as ouvert la porte pour lui dire poliment : « Excusez-moi, monsieur. Désolée de vous réveiller, mais je vais reprendre mes effets personnels, s'il vous plaît... »

— Je me souviens juste qu'on l'a rencontré au bar de la plage, tard en fin d'après-midi. Mais ce n'était pas notre ami tant que ça, si ma mémoire est bonne ! Du moins, pas au point qu'on ait rigolé en lui attachant ta brassière sur la tête ! précise Vicky, qui semble la seule capable de rassembler quelques souvenirs concernant la fameuse première journée.

— Peut-être s'agit-il d'un maniaque-masturbateur-de-pied-fétichiste ?

— Arrrrk !

— On ne l'a pas revu de toute la semaine non plus..., se rappelle Vicky.

— Tout compte fait, vraiment pas brillant, notre brosse au gros soleil et mes noix de coco au lait caillé, ou au je-ne-sais-pas-quoi ! Tourista extrême la première journée de voyage... Pas fort ! Ça valait vraiment le coup que je paie 500 $ de vaccins pour tomber malade avec des noix de coco !

Caroline continue de faire dérouler les photos sur son appareil. Elle s'écrie avec émotion :

—Voici justement la meilleure photo de voyage : toi, au bar, quand t'as enlevé le soutien-gorge en question pour le faire tourner au-dessus de ta tête! Après, tu l'as tout bonnement accroché après ton verre et tu te promenais avec comme ça : y a pas de problème! Euh... *no problemo*, je veux dire!

— Pas drôle! On avait dit qu'on effaçait cette photo-là. Quand je vous disais que j'étais à risque de perdre mon brevet d'enseignement... C'était quoi mon idée? réagit vivement Katia, qui arrache l'appareil des mains de son amie pour détruire à jamais le cliché compromettant.

— Tu voulais mettre la photo avec mon chapeau sur Facebook... Moi, je vais afficher celle-là dans la salle des profs!

— Je pense que, dans l'état où tu étais, tu n'étais même pas en mode «idée», glousse Caroline en reprenant son bien. Par contre, tu n'étais pas toute seule sur le *party*! Moi, quand j'ai vu le gars le matin couché devant notre «porte patio», je me suis dit : «Coudonc, on l'a ramené avec nous hier soir et on ne s'en souviendrait plus?»

— Disons que cette journée de vacances-là ne compte pas dans notre voyage. On est comme parties six jours seulement, nous autres! rappelle Vicky, en se souvenant de la journée assez calme que les filles ont passée après ce difficile réveil.

— Le gars couché devant la porte, c'est une chose; mais l'autre, le grand Québécois qui est venu me voir le lendemain, je ne comprendrai jamais, réfléchit Katia, en haussant les épaules en guise d'incompréhension.

— On ne peut pas vraiment t'aider. Cette journée-là, tu allais souvent au bar toute seule, tu parlais à tout le monde. À un moment donné dans la soirée, je me souviens t'avoir perdue de vue. Quand je t'ai retrouvée, tu dansais, ton soutien-gorge dans les mains, avec ce grand gars-là pas trop loin de toi! se souvient vaguement Caroline, qui se trouvait aussi dans un état d'ébriété avancé.

— Une question s'impose : est-ce que je veux vraiment savoir ce qui s'est réellement passé avec lui? s'autoquestionne Katia à haute voix.

JOUR 2

PLAYA LUNA RESORT
CANCÚN, MEXIQUE

Les filles, encore toutes affalées dans leur lit respectif, discutent de la planification de la journée.

— Pour ma part, je ne peux vraiment pas m'éloigner de la chambre. J'ai pris des comprimés d'Imodium, mais ils n'ont pas encore fait effet, avoue Caroline, qui effectue toujours des allers-retours aux toilettes de façon régulière.

— Moi, je pense que je ne vomirai plus, mais *shit* que je ne *feel* pas *top* !

— Pas de soleil dans mon cas, hein; je pense que c'est clair. Je commence à avoir faim par contre, souligne Vicky en s'inspectant les épaules attentivement.

— Ah zut! C'est vrai! On a la rencontre de groupe dans le lobby ce matin pour les explications relatives au fonctionnement de l'hôtel. Il faut être là, qu'ils nous ont dit! panique Caroline, comme si le fait de ne pas aller à ce rendez-vous s'avérait un drame national.

— Laisse faire! On ne va pas là! Je vais vomir sur la représentante de la compagnie de voyages...

— Peut-être que c'est vraiment important?

— Bienvenue tout le monde! Je vous annonce qu'il y a un lobby, des buffets, on doit réserver pour les restos à la carte, on a aussi une plage et une piscine... Sinon, faites gaffe au soleil, ne buvez pas trop et, surtout, pas de noix de coco! Bon, on a fait le tour, là! Bonnes vacances! improvise Vicky, persuadée que le contenu de la rencontre devait probablement se limiter à ce genre d'informations futiles et de mises en garde.

— Ha! ha! ha! La rencontre aurait dû être hier, alors; on serait en forme olympique ce matin! dit Katia en riant.

— En tout cas, ça m'inquiète tout de même de rater quelque chose d'important...

— Vas-y, ma belle! la défie Katia en se prenant la tête à deux mains, croyant ainsi amoindrir sa migraine persistante.

Debout au milieu de la chambre, Caroline semble vraiment envisager cette possibilité. Soudainement, elle pose une main sur son abdomen en fronçant les sourcils, l'air perplexe, avant de courir de nouveau à la toilette.

—Tu vois ! C'est une super idée d'aller t'asseoir là pendant une heure pour rien ! la nargue Vicky, qui se redresse dans son lit, appuyée sur les coudes.

—On ne peut pas rester dans la chambre toute la journée. *Wow !* Super vacances, se culpabilise Katia.

Vicky se lève péniblement de son lit en se plaignant :

—Ouch ! On pourrait au moins s'installer dehors, propose-t-elle.

En jetant un coup d'œil devant la porte-fenêtre, elle repère une étendue de gazon propice à les accueillir juste devant leur chambre, avant le petit chemin qui mène à leur module.

Caroline, qui sort des toilettes, évalue la suggestion de son amie.

—Pourquoi pas…, accepte-t-elle en envoyant ses tresses vers l'arrière en un coup de tête déterminé. Mes cheveux m'énervent tellement !

—On t'avait dit de ne pas faire ça, lui rappelle Katia.

—Enlève-les !

—Eille, c'est tellement serré. Je crois que je vais avoir les cheveux réellement fichus. Je préfère laisser ma coiffeuse s'occuper de ça à mon retour, se désole celle-ci en saisissant une mèche pour l'analyser.

Les filles s'ébranlent doucement et s'installent dans le jardin. Vicky s'étend sur une serviette sur le gazon ; Katia et Caroline s'assoient sur les chaises en plastique qui trônent sur les dalles devant la porte-fenêtre. Heureusement, quelques palmiers obstruent partiellement la vue que les vacanciers près de la piscine pourraient avoir sur leur emplacement. Un seul hic, le petit chemin passe juste devant elles. Depuis qu'elles sont allongées, les touristes qui y circulent semblent surpris de l'endroit moche qu'elles ont choisi pour se détendre, la piscine se trouvant à quelques mètres de leur chambre et la magnifique plage à seulement quelques pas.

Savourant tout de même la brise saline, les filles papotent en se remettant de leurs maux. Un grand gaillard qui a emprunté le petit sentier fait un saut en les apercevant sur leur carré de jardin. Sans hésiter, il s'approche d'elles.

— Ah ben ! Si c'est pas ma belle Kat !

— Euh... Salut ? hésite celle-ci, les sourcils froncés, stupéfaite de se faire ainsi aborder par un pur inconnu.

Toujours sans gêne, il se penche pour l'aider à se redresser pour ensuite lui faire une accolade chaleureuse et l'embrasser sur les joues.

— Euh... On se connaît ? balbutie Katia, complètement perdue.

— Sti que t'es drôle, toi! «On se connaît?» Est bonne en maudit!

— Sérieusement, je crois que tu te trompes de fille, explique gentiment celle-ci.

— Ha! ha! ha! «...tu te trompes de fille...», répète-t-il de nouveau. T'es crampante, toi!

Perplexe, elle lance des regards interrogateurs à ses deux amies, qui semblent tout aussi confuses qu'elle.

— Hier, tu m'as fait «*tripper*» en tout cas! ajoute-t-il, en remuant la tête pour signifier qu'il se rappelle des évènements mémorables.

— Comment ça? tente de nouveau de savoir Katia.

— «Comment ça?» Ha! ha! ha! T'es vraiment comique, Kat! Bon, on se voit tantôt, les filles, affirme-t-il en les saluant avant de poursuivre son chemin.

— Euh... c'est qui ton «grand ami»? s'informe Vicky, confuse.

— Je le sais-tu, moi! Je ne me souviens même pas de l'avoir vu hier!

— Moi, par contre, sa face me dit quelque chose, je crois, mais je ne peux pas t'en dire plus, tente de se rappeler Caroline.

— Voyons donc! Lui avez-vous vu l'air? On dirait qu'on est les plus grands *friends ever*! C'est ridicule!

— Moi, je veux savoir! T'as fait des cochonneries avec lui, c'est certain, affirme Vicky, qui s'amuse visiblement de la situation insolite.

— Bien que je semble directement concernée, je ne peux pas t'aider, désolée, déclare Katia, complètement découragée.

— Bon, il faut vraiment penser à avaler quelque chose, suggère Caroline, encore l'estomac à l'envers.

— Je ne veux pas aller au buffet la face arrangée de même, affirme Vicky, rebutée par l'idée compte tenu de son teint rouge écarlate.

— On tire au sort pour savoir qui ira chercher à bouffer et on mange ici! propose Katia.

— OK!

Caroline se désole une fois de plus d'avoir été couronnée la «gagnante»:

— Je perds tout le temps. Je risque de ne même pas me rendre, se plaint-elle, en se tâtant le ventre pour analyser la possibilité ou non d'envisager un tel déplacement.

— Bien oui, ce n'est pas loin, l'encourage Vicky. Rapporte des salades, des fruits...

— Du pain pour moi, ça va peut-être m'aider un peu.

Caroline se lève et emprunte le sentier en direction du buffet. Les filles la regardent s'éloigner. Après à peine dix mètres, elle rebrousse chemin en courant.

— Si on la charge de la mission, on risque de ne jamais manger, pouffe Vicky en la voyant réintégrer la chambre à la vitesse de l'éclair. Vas-y, toi?

— T'es malade! Je vais vomir dans le buffet, avoue Katia, nauséeuse. Je ne suis même pas certaine de pouvoir avaler quoi que ce soit.

— Bon, j'ai compris! proteste quelque peu Vicky, avant de se lever péniblement. Ouch!

— Mets ton gros chapeau, personne ne va te voir!

Caroline, qui rejoint de nouveau ses amies dehors, les met en garde:

— En tout cas, on a fait le *party* hier, mais dans mon cas, je vous assure que ça ne sera pas comme ça tous les soirs... Pfft...

JOUR 7
VOL AQ993
CANCÚN–MONTRÉAL
14 H 59

— Eille, ce fut une méchante journée de bouette! se souvient Caro.

— Se coucher à 20 h en voyage dans le Sud, faut le faire! rappelle Vicky en secouant la tête.

— Au moins, on s'est levées plus en forme le jour suivant.

— Oui et, le lendemain, on a fait de belles rencontres, déclare Katia en faisant une moue ironique à Caroline.

— Arrête donc! proteste celle-ci, agacée que son amie parle encore une fois de ce sujet délicat.

— Belle rencontre? Pas trop, dans mon cas..., souffle Vicky, l'air abattu de nouveau.

JOUR 3

PLAYA LUNA RESORT
CANCÚN, MEXIQUE

— Salut les Québécoises! envoie gentiment un gars, qui passe devant les filles avec des verres plein les mains.

— Salut!

— Si vous voulez, vous pouvez amener vos chaises par là-bas, avec nous. On est six ou sept Québécois regroupés ensemble! propose-t-il, gentleman.

Les filles s'interrogent du regard pendant quelques instants avant d'acquiescer d'un signe de tête. Pourquoi pas! Après avoir pris soin de placer leurs souliers et leurs vêtements au milieu de leurs chaises, elles glissent celles-ci dans le sable, sur une vingtaine de mètres, afin de les rejoindre. Après les brèves présentations s'amorcent les discussions d'usage concernant le lieu d'origine et le travail de chacun.

— On vient toutes de Gatineau ; on enseigne à la même école secondaire, explique Caroline.

— C'est bien le *fun* ! Êtes-vous arrivées aujourd'hui ? Me semble que je ne vous ai pas vues, hier, s'informe une femme dans un haussement d'épaules.

— Aaah... non. Il y a deux jours, nous étions sur le vol de 10 h 30 de Montréal... Mais hier... euh... on est restées tranquilles sur le bord de la piscine, ment Vicky, cachée sous un grand chapeau blanc pour se protéger du soleil, mais surtout, pour rendre son teint homard-bien-cuit moins apparent.

— Coudonc, on était à la piscine, nous autres aussi ! On ne vous a jamais vues, et pourtant..., déclare le gars qui les a abordées tout à l'heure, en scrutant non subtilement Caroline de haut en bas.

Elle rougit, flattée par son « et pourtant » dit de façon éloquente. Tout le monde décide d'aller à la mer. Caroline et son nouvel ami se proposent de rester pour surveiller les effets personnels du groupe.

— C'est quoi, donc, ton nom ? lui redemande Caroline, qui ne se souvient jamais du prénom des personnes qu'elle rencontre du premier coup.

— Thomas.

— Tu fais quoi, dans la vie ?

— Je prends un verre avec une belle fille sur une plage paradisiaque de Cancún !

Caro pouffe de rire, à la fois gênée et amusée par la spontanéité de l'homme.

— Je veux dire, dans la vraie vie, au Québec !

— Ah, OK, la question n'était pas claire ! Je suis avocat.

Elle l'analyse du coin de l'œil. Thomas semble avoir entre trente et trente-cinq ans. Il n'est pas très grand, mais tout de même un peu plus qu'elle qui ne fait même pas cinq pieds quatre pouces. Ses cheveux sont légèrement bouclés, foncés, mais courts. Il n'est pas très musclé. Il s'exprime très bien et avec un vocabulaire varié qui ne laisse aucun doute quant à l'éducation qu'il a reçue. Un beau gars, probablement de bonne famille. Il lui explique alors qu'il travaille pour un cabinet de comptables, à Laval. Il envisage de lancer sa propre entreprise bientôt, mais attend d'avoir suffisamment de contacts et d'expérience pour renforcer sa crédibilité relativement à sa pratique. Caroline lui raconte à son tour certains pans de sa vie, de son métier. Ils sont en pleine discussion lorsque les autres reviennent de leur baignade.

— Bon, c'est à notre tour, il fait chaud ! propose Thomas en invitant du regard sa nouvelle compagne à se joindre à lui dans son escapade à la mer.

— Je vais au bar et je paie une tournée ! Ha ! ha ! ha ! Qu'est-ce que je vous rapporte ? Des daïquiris aux fraises ? demande une jeune Québécoise blonde qui semble voyager seule.

— Non ! non ! non ! Pas de daïquiri pour moi... De la bière seulement, refuse Katia en agitant la main, laissant ainsi sous-entendre une mauvaise expérience avec ledit cocktail.

Tout le monde fait un choix quelconque et Vicky décide d'accompagner la Québécoise au bar pour lui donner un coup de main.

En blaguant avec le barman qui les complimente dans un anglais approximatif, Vicky scrute les alentours à la recherche de mâles alphas potentiels.

— Moi, c'est Sharon ! se présente la fille aux cheveux dorés, qui rajuste le bustier de son bikini en se remontant exagérément les seins, se croyant quasi à l'abri des regards de la trentaine de voyageurs agglomérés près du bar.

Sa beauté n'échappe pas aux paires d'yeux qui sont justement rivés sur elle. Certains l'observent directement, d'autres la contemplent discrètement à travers leurs verres fumés. Les femmes autant que les hommes examinent allègrement cette belle blonde de vingt-cinq ans, si peu vêtue. De loin, on a l'impression qu'elle a reçu une augmentation mammaire. Cependant, de plus près, on constate que «tous les morceaux en place semblent d'origine».

— Vicky, répond celle-ci, qui ne peut s'empêcher à son tour de lui reluquer le buste à travers ses lunettes de soleil.

— Es-tu célibataire ? s'intéresse d'emblée Sharon.

— Oui ! Toi ?

— Des fois oui, des fois non. Ça dépend comment je *feel* pis qui je rencontre! Ha! ha! ha!

— Je comprends!

Avec une adresse remarquable, les deux filles saisissent les verres de plastique et s'en retournent à la plage. Vicky entend soudainement quelqu'un crier son nom.

— VICKY?

Comme le son provient de la direction opposée à celle qu'elle a prise, elle pivote sur elle-même, étonnée de se faire interpeller de la sorte dans un pays étranger. Dans un plissement d'yeux interrogateur, elle aperçoit un gars courir vers elle. Elle s'immobilise pour le dévisager, ne le reconnaissant toujours pas. Sharon, qui la devançait de quelques pas, poursuit son chemin.

— Ah ben! Est bonne en maudit! Salut!

«Ah NON! Pas LUI!», pense Vicky, abasourdie de constater qui l'appelait ainsi.

— Allo! le salue-t-elle, avec une mine faussement contente.

— Tu parles! C'étaient quoi les chances qu'on se croise ici? In-cro-ya-ble!

— Elles étaient quasi nulles! Mais ça arrive quand même, là! lance-t-elle, en masquant difficilement la pointe de déception qui détonne dans sa voix.

— J'ai vu Christian il y a deux semaines et il ne m'avait pas dit ça que sa blonde partait dans le Sud sans lui! Ça fait presque une semaine que je suis là pis je ne t'avais même pas vue. T'es arrivée quand ?

« " Sa blonde ! " On se fréquente ! On n'est pas officiellement ensemble... », se dit Vicky, sans toutefois en faire mention au gars.

— Quelques jours, on est là pour juste une semaine dans notre cas...

— Je vais lui écrire sur Facebook, il va être crampé ! Non, attends ! Meilleure idée ! On prend une photo et on la lui envoie tout de suite !

Avant même qu'elle n'ait le temps de donner son approbation, il se place tout près d'elle pour faire le cliché, son téléphone intelligent au bout des bras. Sur l'image, Vicky rit un peu jaune, en tenant quatre verres d'alcool dans les mains. Il l'envoie subito presto à Christian.

— C'est trop drôle !

— Vraiment drôle...

— Bon bien, on se revoit autour, je présume ! Ce n'est pas trop grand comme place, on va se croiser souvent. Je suis super content !

— Ben oui, c'est donc le *fun*...

Il la salue et retourne d'où il est venu.

« Il ne manquait plus que ça ! Super vacances de célibataire tranquille ! Maudit ! », enrage Vicky, en marchant dans le sable en direction de ses amis.

En arrivant près du groupe, elle tend les verres à chacun et fait signe à Katia de venir près d'elle. Caro, qui revient de sa baignade, s'approche du duo.

— Cibole! Le voisin, beaucoup-trop-ami-fatigant de mon nouveau mec, est en voyage ici! Dans le même hôtel! Beaucoup trop content qu'on se croise toute la semaine! Dégueu, il est tellement gossant!

— Oui, mais ce n'est pas très grave. T'as juste à ne pas trop lui parler, envoie tout bonnement Caroline, pas sûre de bien saisir l'exaspération de son amie par rapport à la situation.

— Non, non, je comprends moi; c'est TRÈS grave en effet! Tu ne pourras pas t'amuser à ton aise, car il va tout lui répéter!

— Exactement, c'est ça!

— Oui, mais tu dis tout le temps que vous n'êtes même pas en couple..., lui rappelle Caroline, encore un peu confuse dans son analyse de la situation.

— Je sais, mais le voisin pense que oui. De plus, si j'ai des atomes crochus avec un mec ici, je ne voudrais pas que Christian l'apprenne. C'est comme *turn off*!

— On va se la jouer stratégique, mon amie! la rassure Katia, un doigt en l'air, comme si elle concoctait un plan bien précis dans sa tête.

— On l'attache en haut d'un palmier pour la semaine?

— Ouais...

— On n'a qu'à lui payer trois ou quatre noix de «gastro» du vendeur itinérant sur la plage! Il ne sera pas dans tes pattes pour au moins une journée et peut-être plus!

— Ouais...

Puis, changeant subitement de sujet:

— Toi, euh... Caro? fait Katia, sans formuler réellement de question précise.

— Moi quoi?

— Lui? dit-elle, en désignant subtilement Thomas du menton.

— Lui quoi?

— Coudonc, faites des phrases complètes, quelqu'un! lance Vicky, qui trouve la conversation entrecoupée et sans contenu.

— Ne fais pas l'innocente, vous vous trouvez beaux!

— Vraiment pas rapport, franchement! Je suis très heureuse avec mon *chum* et, si vous voulez savoir, je ne ferais jamais ça! On a un enfant ensemble, je vous signale!

Offusquée, elle retourne vers le groupe. De but en blanc, elle dépose sa serviette sur une chaise inoccupée et saisit son verre sur la table.

— Donc, vous êtes en voyage pour trois semaines! Mon Dieu, ce sont de longues vacances, s'étonne Katia, qui discute depuis un bon moment avec un couple québécois assis près d'elle au comptoir du bar de la plage.

Le couple, dans la jeune cinquantaine, arbore le *look* «vacancier typique»; la femme porte un maillot de bain dont les nuances de couleurs vives s'agencent parfaitement avec son paréo et son chapeau. L'homme, vêtu d'un short sur lequel on peut lire «*I love Cuba*», porte une casquette légèrement décolorée à l'effigie d'un hôtel de la République dominicaine. Les deux ont la peau presque orange tellement ils sont bronzés.

— Ça paraît que vous êtes là depuis longtemps, à cause de votre teint!

— Non, non, on est arrivés il y a deux jours. On s'est fait bronzer en cabine, au Québec! On fait tout le temps ça pour ne pas brûler, hein minou?

— Il faut dire qu'on est allés à Cuba dans le temps des fêtes, pendant deux semaines. Fait qu'on avait déjà un fond! On est ce qu'on appelle «de grands voyageurs»!

«Coudonc, qu'est-ce qu'ils font, dans la vie, pour voyager de même...», se questionne Katia en présumant que le couple doit être assez fortuné, merci.

Comme si l'homme avait lu dans ses pensées, il répond à sa question:

— On a un commerce, donc on peut laisser le fort aux employés pour partir plusieurs fois durant l'automne pis l'hiver. L'été, on reste au Québec, on a une roulotte permanente trois saisons au camping de Sainte-Madeleine.

— Ah, c'est le *fun* ! Un commerce dans quoi ? s'informe Katia, pour alimenter la conversation.

— Bon, c'est l'heure de ma tournée !? C'est moi qui paie ! plaisante l'homme, qui rit à gorge déployée en donnant de légers coups de coude à sa femme. *¡Tres piña Canada, por favor!*

«Belle esquive. Je voulais juste me montrer intéressée...», se dit Katia, désolée de l'avoir embarrassé avec sa question.

— Des «*piña Canada*»? répète Katia en croyant que l'homme fait une blague.

— Oui, c'est assez bon ! Ils font ça avec des ananas. Un cocktail qu'ils ont inventé en l'honneur des Canadiens qui voyagent ! Tsé, dans le fond, c'est nous autres qui faisons vivre tout ce monde-là ! affirme très sérieusement l'homme, sûr de lui.

Katia n'a pas le temps de réagir que la femme la tire légèrement par le bras pour s'adresser à elle de très près.

— Tu n'es sûrement pas célibataire toi, hein ?

Elle l'examine de haut en bas, en semblant dire : «Tu es jolie, donc tu ne peux pas être seule !»

— Oui, je le suis. Et je suis venue avec mes deux amies, explique-t-elle, en montrant les filles qui rigolent avec le groupe de Québécois plus loin. Disons que je compte bien m'amuser ici ! ajoute Katia, désinhibée par l'alcool.

— Faut profiter de la vie, tabarnak! renchérit l'homme, qui semble aussi un peu «paf».

— Moi, c'est Katia!

— Claude, et ma femme, Carole. On est les CC! On a juste le «ud» et le «ro» de différence!

— Hein? Pardon? fait Katia, qui se demande si elle n'est pas rapide sur le plan cognitif ou si c'est le propos qui n'était juste pas clair.

— Les lettres pas pareilles... dans nos prénoms...

— Aahhhh! Enchantée, les CC, vous êtes vraiment gentils! Je suis bien contente de vous rencontrer!

Elle reste à discuter avec eux jusqu'à ce qu'elle voie des gens s'amasser autour de la grande terrasse de bois, tout près du bar. Elle entend un G.O.[5] hurler au micro: «*bailemos el merengue*[6]»! Elle bondit littéralement de son banc, comme propulsée par un ressort, et elle déguerpit pour aller chercher les filles.

— On y va! C'est un cours de merengue!

— OUI! OUI! approuve en chœur le groupe de Québécois.

---

5. Gentil organisateur. Animateur de touristes ainsi appelé dans les hôtels tout compris.
6. Dansons le merengue!

Un peloton de vacanciers motivés s'agglutine peu à peu devant le jeune professeur, qui parade fièrement un ensemble sportif Nike en élasthanne noir ajusté au corps.

— Il est donc bien *cute*, lui! fantasme Katia, qui le dévisage avec un sourire et sans aucune gêne.

Charmeur, le danseur remarque également Katia et lui envoie une œillade enflammée avant de commencer son enseignement. Il explique tout d'abord les pas de base aux participants, puis les invite à les faire derrière lui, sans partenaire et sans musique pour le moment. «*Uno, dos, tres, cuatro*[7]...», répète docilement la foule, en tentant de bien saisir les mouvements de pieds. Il fait ensuite une démonstration avec une partenaire. Le «hasard» veut qu'il tombe sur Katia. Complètement émoustillée, celle-ci se laisse valser par le professeur expérimenté, en lui humant discrètement la nuque. Le danseur, très habile, la guide si bien et si facilement qu'elle semble connaître la danse depuis des lustres. Elle revient vers les filles au moment où il la libère, afin de circuler dans le groupe pour observer la technique de chacun.

— Les filles, je suis en amour! chuchote Katia, un filet d'air sortant de sa bouche pendant qu'elle s'évente le visage avec la main.

---

7.   Un, deux, trois, quatre!

Les trois filles reluquent discrètement le postérieur bombé du mulâtre qui se déhanche en montrant de nouveau les pas à un couple de vacanciers.

— Son cul! Son cul! Son cul! *My god!*

— Calme-toi le pompon, Kat! Tu le connais depuis environ trois minutes! souligne Caro, amusée par la réaction vive et spontanée de son amie.

— Je dirais même: tu le connais depuis à peine deux enchaînements de pas de merengue! ajoute Vicky.

Un beau mec s'avance à son tour pour participer au cours de danse. Vicky lui sourit. Il la regarde et lui renvoie son sourire. Le type, à coup sûr un Américain, adopte fièrement le *look beach boy* classique. Blondinet, assez bien bâti, il pourrait facilement incarner la vedette dans un film hollywoodien pour adolescents. À l'observer, on se dit qu'il a assurément joué pour l'équipe de football de son lycée en tant que quart-arrière et qu'il a probablement dépucelé la chef de l'équipe de *cheerleaders*, le soir du bal des finissants, après qu'ils eurent été nommés roi et reine de la soirée.

— On arrive trop tard? se renseigne Thomas, en agrippant Caroline par les épaules pour la faire vaciller doucement de gauche à droite.

Malgré l'absence de musique, il lui empoigne les mains pour la faire tournoyer, comme s'il connaissait bien la danse que le professeur latino s'apprête à leur enseigner.

Le Mexicain *sexy* tape dans ses mains et propose aux participants d'essayer encore, mais cette fois-ci avec de la musique. Caroline et Thomas, qui sont déjà ensemble, restent tout naturellement dans leur position. Vicky lorgne Katia avec désolation, en se résignant de devoir probablement danser avec elle. Celle-ci, le regard totalement absent, dévisage le professeur en salivant. Conscient de l'effet qu'il a sur elle, celui-ci arque les sourcils avant de lancer la musique. Il la rejoint d'un pas rapide et la saisit par la taille. Le type à qui Vicky avait souri plus tôt avance timidement vers elle. Il hausse les épaules et lui tend la main. Ravie, elle tournoie une fois sur elle-même avant d'attraper le bout de ses doigts en souriant.

— Dawson ! Il vient du Wisconsin. Sa cousine se marie ici, dans quelques jours, explique Vicky aux deux autres filles, qui lui passent un interrogatoire en règle.

Le cours de danse terminé, les vacanciers se dispersent dans le complexe hôtelier. Les filles font un arrêt au bar pour se rafraîchir le gosier, la danse quasi sportive les ayant desséchées.

— C'est où, ça ? interroge d'emblée Katia, géographiquement désorientée.

— Ce n'est pas un nom de ville, « Wisconsin » ? demande Vicky, confuse également quant à la provenance de son prétendant.

— Je pense que c'est dans l'État du Milwaukee, présume Caroline, les sourcils dubitatifs.

— Ce n'est pas une sorte de bière, ça? *Anyway...* Il va y avoir un mariage ici? s'emballe Katia, beaucoup plus intéressée par la célébration nuptiale que par la ville native du mec potentiel de sa copine.

— Oui! Après-demain, en après-midi, se souvient vaguement Vicky. Je suis en amour moi aussi, divague à son tour celle-ci, en imitant l'air pâmé de Katia. Peut-être qu'il va m'inviter au mariage?

— Vous êtes deux vraies tartes!

— Non, tu ne comprends pas le principe, Caro: dans le Sud, faut tomber en amour rapidement! On est ici juste une semaine! Le temps presse!

— Je veux me marier avec Fernando après-demain! râle Katia, en commandant une autre tranche de limette pour donner un petit goût exotique à sa bière.

Vicky balaie visuellement les alentours et repère facilement Dawson; ce dernier joue au volleyball de plage, à quelques mètres à droite du bar. Elle l'épie amoureusement, jusqu'à ce qu'elle entende un cri derrière elle:

— Allo Vickyyyyy! s'époumone un gars, sur un ton beaucoup trop enjoué.

Elle se retourne et constate la présence dudit «voisin» qui lui gesticule encore des simagrées ridicules au loin. Par politesse, elle agite nonchalamment la main dans sa direction, en soufflant à ses amies:

— Fa-ti-gant, lui ! Va-t'en donc en vacances ailleurs !

— Veux-tu que je lui fasse une jambette dans la piscine ? murmure Katia en se frottant mesquinement les mains ensemble.

— Mes seins sont-tu corrects dans ce maillot-là ? s'inquiète Vicky en fixant toujours Dawson au loin.

— Beeeennnn oui, princesse !

Le témoin lumineux, rappelant aux passagers qu'ils doivent porter la ceinture de sécurité, s'allume à la suite de plusieurs turbulences. Caroline, inquiète, se tourne vers les filles en fronçant les sourcils. Katia la rassure en lui faisant signe que non de la tête, pour lui signifier : « Il n'y a rien de grave... » Quelques secondes plus tard, le calme revient et la consigne de sécurité disparaît. Caroline se détend.

— Quand même, t'étais super contente de rencontrer Dawson au début ? demande celle-ci, sûre de la réponse d'après son ton affirmatif.

— Sur le coup, oui ; c'est l'autre « zouf » de voisin qui me tapait sur les nerfs. Je me disais : « Il va raconter à Christian, dans les moindres détails, tout ce que je fais ! »

— Oublie ça! Il était bien trop occupé à «*frencher*» ce soir-là! rigole Katia, la langue sortie, pour accompagner son explication par la gestuelle.

— Bien oui, avec ELLE en plus! réagit vivement Vicky en levant une main dans les airs en guise d'indignation.

— J'avoue que c'était un peu surprenant comme *match* de vacances!

JOUR 3

PLAYA LUNA RESORT
CANCÚN, MEXIQUE

La discothèque de l'hôtel, assez vaste, est divisée en deux paliers. La piste de danse se trouve en contrebas du bar et on y accède par quelques marches seulement. La place, mi-moderne, mi-exotique, est entourée de vieux écrans diffusant certains vidéoclips. Cela donne l'impression aux voyageurs de se trouver ailleurs que dans un club de leur ville. Le voisin de Christian, complètement ivre au milieu de la piste de danse, embrasse gloutonnement Sharon, la plantureuse Québécoise, qui semble également dans un état d'ivresse assez avancé.

— Est-ce moi ou le voisin ressemble à un gars «pas dans sa ligue», lance Vicky à l'endroit de Katia, témoin de la scène quasi porno qui se déroule sur la piste de danse.

— Je sais, elle est « paquetée » solide, la pauvre ! Quand on est dans un état pareil, les critères de sélection diminuent un peu ! Ou encore, on ne se souvient carrément pas de ce qu'on a fait, comme dans mon cas, lance Katia avec désinvolture, en tournoyant sur elle-même pour commander un autre verre au bar.

Caroline, aussi accoudée au comptoir non loin d'elles, discute sérieusement avec Thomas.

— Non, je ne l'ai pas fait toute seule, quand même, cet enfant-là, affirme-t-elle en roulant des yeux, la tête basse, gênée, mais surtout peu emballée par le sujet de la discussion.

— Comment se fait-il que ton *chum* laisse une belle fille comme toi partir seule en vacances ? questionne Thomas, charmeur et bien conscient de l'être.

— Il me fait confiance, ajoute-t-elle en pivotant sur ses pieds, par principe et pour lui démontrer qu'elle partage tout à fait la conviction de son conjoint.

— T'es entièrement comblée avec lui, même après sept ans ? tente Thomas, en bon avocat du diable.

— Euh... oui, oui, répond-elle, quelque peu hésitante, surprise par la question qui s'avère directe et, surtout, très indiscrète.

— T'as bafouillé... Tu n'es donc pas « entièrement » heureuse avec lui, alors.

— Eh, monsieur l'avocat-qui-se-cherche-une-cause-de-divorce-à-défendre, laisse faire! Je te trouve assez intrusif, merci!

— Regarde, Caro, je déconne. Je te trouve craquante, c'est tout. Mais ce n'est pas grave, je respecte ta vie et je vais te laisser tranquille. On se voit plus tard, fait-il, avant de la quitter pour rejoindre ses amis plus loin.

Elle l'observe s'éloigner en songeant que ce doit être l'alcool qui fait en sorte qu'elle se sent tout de même un peu déçue qu'il soit parti. Elle se répète en boucle dans sa tête: «Il ne te fait absolument rien, ce gars-là, Caroline...» Elle effectue un pas de côté vers les filles, en paraissant tout de même préoccupée.

— Avoue qu'il te fait craquer? lui catapulte sans gêne Vicky, un sourire en coin.

— Pas du tout! Je lui ai même dit que j'étais en couple et très heureuse de l'être! avoue fièrement celle-ci, consciente d'être ainsi respectueuse de l'engagement amoureux qui la lie à son conjoint.

— Heureuse? Bien oui, avec ton *chum* qui te laisse tout faire à la maison... sûrement..., souligne Katia, qui connaît Caroline depuis très longtemps.

— OK, je me suis peut-être déjà plainte de lui dans la salle des profs à quelques reprises, mais c'est comme tout le monde; les couples ont des hauts et des bas, ça ne veut pas dire que je vais tromper mon *chum* en voyage, voyons! rectifie-t-elle, en regrettant que ses paroles du passé jouent actuellement contre elle.

Avant qu'elle ne daigne répondre à l'affirmation juste de son amie, Katia aperçoit le danseur de merengue faire son apparition sur la piste de danse.

— Je ne l'avais pas vu, lui ! crie-t-elle en le voyant se déhancher avec une touriste.

— Ne fonde pas trop d'espoirs sur ce gars-là. Je pense que c'est sa *job* de faire danser les femmes ! remarque Vicky, en cherchant toujours des yeux Dawson-du-Wisconsin dans la foule.

Un grand gaillard arrive à ce moment-là tout près des filles.

— Allo, ma belle Kat ! fait-il en la prenant littéralement dans ses bras.

C'est le type qui avait l'air de si bien connaître Katia le lendemain de sa première cuite. Elle se laisse envelopper sans contester, mais fixe désespérément ses amies par-dessus l'épaule de son assaillant. Il lui susurre à l'oreille : « Toi, t'es ma meilleure ! »

Katia, trop préoccupée par son danseur *sexy*, l'écoute à peine et se libère doucement de son étreinte. Sans rien dire, elle se déplace à pas de loup vers la piste de danse, les yeux rivés sur l'objet de sa convoitise.

— Elle est partie ! blague Caroline en haussant les bras en guise d'impuissance.

Son affectueux ravisseur ne semble pas en faire de cas et se dirige vers d'autres touristes, plus loin.

Dans une pose naturelle, Katia reste embusquée près d'une table bistro qui longe la piste de danse. À l'arrêt de la musique, elle plaque son verre sur la table et fonce droit sur Fernando, qui embrasse gentiment sa partenaire de danse sur les joues. Dans un anglais parfait, elle le saisit par le bras et le salue comme si elle était étonnée de le croiser au milieu du plancher de danse. Visiblement content de la voir, il l'embrasse à son tour. Au rythme d'une chanson latine qui retentit dans l'air, il commence à danser avec elle en lui tenant fermement les mains. Katia ne sait même pas à ce moment précis si l'ex-partenaire de danse de Fernando est restée aux alentours ou si elle a quitté les lieux. Elle semble littéralement se trouver dans une scène de *Dirty Dancing*, amorçant les premiers pas de danse de façon quasi théâtrale, la tête tournée vers le côté, le nez au vent. Elle pivote la tête pour vriller ses yeux dans ceux de son beau Patrick-Swayze-latino.

— *Salud*, Wisconsin! glousse Vicky en levant son verre de téquila en direction de Dawson.

Celui-ci, l'air un peu timide, soulève aussi son verre en n'ayant d'yeux que pour elle.

La pauvre Caroline, abandonnée par Katia qui danse depuis plus d'une heure avec son Latino-Américain, et par Vicky qui boit depuis presque une heure aussi avec son Américain, s'est discrètement immiscée dans le cercle d'amis de Thomas. «Je n'ai pas le choix, je suis toute seule ! », raisonne-t-elle pour se déculpabiliser, en répondant une fois de plus à un de ses innombrables sourires ravageurs.

JOUR 7
VOL AQ993
CANCÚN–MONTRÉAL
15 H 11

— Abandonnée ? T'exagères ! claironne Vicky. J'étais juste à côté de toi.

— Tu aurais pu aller parler à n'importe qui d'autre. Ne nous accuse pas si tu te sens coupable qu'il t'ait encore « *cruisée* » toute la soirée ! approuve Katia en dévisageant la principale intéressée, l'air sévère.

— En tout cas, je dois avoir repoussé ses avances au moins quatre fois ce soir-là ! confie celle-ci en levant les sourcils.

— Moi, je te jure que, ce soir-là, je n'ai pas refusé celles de Dawson quand il s'est enfin décidé ! Le grand gêné a finalement attaqué, et solidement, je vous le jure !

— J'ai toujours entendu dire que les Américains n'étaient pas trop entreprenants côté sexe, avance Katia, sans avoir jamais tenté l'expérience.

— Rappelle-moi encore comment ça s'est passé, votre fin de soirée ! s'intéresse Caroline, plus certaine des détails racontés par sa copine.

JOUR 3

PLAYA LUNA RESORT
CANCÚN, MEXIQUE

— *Middle West?* *It's a state?* demande Vicky, encore plus confuse des explications de Dawson quant à son État d'origine.

— *Whatever!* lance-t-il en l'entourant de ses bras pour l'embrasser de nouveau, tous deux allongés sur la plage.

Dans un élan de passion et d'ivresse, Vicky a accepté sans hésiter la proposition de Dawson d'aller «marcher» sur la plage. Finalement, ils ne sont pas allés plus loin que près de la mer devant l'hôtel. Depuis qu'ils s'enlacent langoureusement, Vicky réalise que le prude Dawson possède finalement une belle fougue sexuelle assez torride. «*Wow!* Un *top* partenaire de voyage pour la semaine, ça!», cogite-t-elle, en se laissant enivrer par les caresses de son séducteur.

L'Américain propose à Vicky une baignade nue. Tous les deux constatent la présence de vacanciers près de l'escalier qui sert de passerelle du bar à la plage. Dawson lui pointe alors un secteur de la mer moins fréquenté. Elle accepte de se soustraire un peu de la zone entourant le complexe hôtelier, afin d'éviter d'être vus par des passants désireux de réellement marcher sur la plage.

Après un effeuillage coordonné, le couple s'esclaffe en courant vers la mer. Trois secondes après être entrés dans l'eau salée, leurs rapports se sexualisent dangereusement. Vicky, les bras accrochés au cou de Dawson et les jambes enroulées autour de son corps mouillé, sent bien que l'excitation l'a totalement gagné lui aussi. Enivrée de boisson et d'érotisme, elle n'oppose aucune résistance quand il commence à lui faire l'amour, en la maintenant dans cette position. Les yeux fermés de plaisir, Vicky est soudainement rappelée à la réalité lorsqu'elle entend des mots espagnols au loin. Dawson, qui a aussi entendu quelqu'un, cesse son va-et-vient pour se tourner vers la grève. Un agent de sécurité semble avoir surpris, avec sa lampe de poche, un jeune couple près de l'escalier menant au complexe hôtelier, à quelques dizaines de mètres d'eux. Dans l'intervalle, Vicky aperçoit un autre couple sortir d'un buisson, près de la plage, et grimper d'un bond un muret de pierres pour regagner l'hôtel. En voulant voir les fugueurs, l'agent de sécurité éclaire la mer au passage. Vicky et Dawson se retrouvent ainsi illuminés par le faisceau. De la mer, et en raison de l'obscurité de la nuit, il est impossible de distinguer le visage de qui que ce soit à cette distance. «Pas de panique, on n'ira pas en prison pour s'être mis tout nus dans la mer, quand même!», se rassure mentalement Vicky, désinvolte.

Complice et amusé de s'être ainsi fait prendre, le couple file vers la plage, en évitant d'être éclairé par la lampe. Ils agrippent leurs vêtements au passage et escaladent le même muret que le couple de fuyards a emprunté quelques minutes plus tôt.

Après avoir ri pendant de longues minutes, Vicky s'habille en toute hâte et se colle contre Dawson, étendu sur une chaise longue, près de la piscine. En regardant sa montre, il propose d'aller dormir. Comme tous les deux partagent leur chambre avec d'autres personnes, ils prennent des directions opposées en se promettant de se voir le lendemain.

Rendue dans le couloir de son module, Vicky entend les filles rire, bien que la porte soit fermée. «Elles ne dorment pas?», se surprend celle-ci vu l'heure tardive. Dès qu'elle pénètre dans la chambre, les filles cessent leur conversation. Elles la dévisagent, le regard interrogateur. Vicky s'assoit sur le lit en laissant échapper un soupir de contentement; elle leur exécute un large sourire, arborant toutes ses dents.

— Raconte! crie presque Katia, trop curieuse de connaître la fin de soirée de son amie.

— Attends, termine ton histoire avant, l'implore Caroline, déjà captée par le récit farfelu de Katia.

— Donc, on s'est réellement fait prendre sur la plage par l'agent de sécurité..., poursuit celle-ci, avant que Vicky la coupe en beuglant:

— C'était toi?

— T'étais là? gueule à son tour Katia, toujours dans le néant.

— Oui, dans la mer.

— Dans la mer? Ah! C'est pourquoi Fernando m'avait dit avoir entendu des clapotis venant de l'océan, mais il n'en était pas certain...

— Coudonc! Vous étiez combien à forniquer dans ce coin-là? s'insurge Caroline avec dégoût, littéralement traumatisée par le pluralisme sexuel simultané sur la plage.

Les filles récapitulent alors les faits, chacune racontant son aventure, selon sa perspective.

— Donc, tu t'es fait baiser *in English*!

— Mets-en, et c'est quand le garde a voulu vous éclairer près du petit mur qu'il nous a illuminés avec sa lampe, relate Vicky en rigolant. L'autre couple, c'était qui?

— Le voisin avec la pétasse! dévoile Katia, qui avait eu le temps de les reconnaître de loin.

— Quoi? *Shit!* panique Vicky. C'est certain qu'il m'a vue en dessous du *spotlight*, toute nue dans la mer, alors!

— Peut-être pas...

— Eille, moi qui m'en vais loin du bar pour avoir la paix, il se retrouve à la même place que moi, au même moment! Coudonc! Il me suit, ou quoi? s'inquiète Vicky, ne trouvant plus l'histoire drôle du tout.

— Tu verras demain, par son attitude, s'il t'a vue ou non, la rassure Katia, navrée d'avoir appris ce détail à son amie.

— Toi, tu t'es bien amusée? s'informe tout de même Vicky, un peu démoralisée de la conclusion de cette échappée.

— Oui... Nous aussi, il faut qu'on se cache, mais pas à cause d'un voisin : Fernando ne peut pas fréquenter de touristes vu qu'il travaille ici. C'est formellement interdit ; sinon, il peut perdre son emploi.

— Tant que ça ?

— Alors, vous avez couché ensemble ou pas ?

— On n'a pas couché ensemble, on se pelotait sur la plage quand le surveillant est arrivé. Après, il est rentré chez lui.

— Ah !

— Toi, euh, Madame la sirène..., t'as mis un condom dans la mer avec ton Anglais, j'espère ? s'informe Caroline, un peu moralisatrice.

— Ouin, dans le feu de l'action... Euh, disons que... Je suis vraiment épaisse..., se lamente Vicky, en se prenant la tête à deux mains.

— Vicky ! Tu ne le connais pas, ce gars-là ! On fait la morale à nos élèves de se protéger en tout temps ! rugit Caroline, sur un ton désapprobateur.

— Il est gêné, super timide, ce n'est pas un courailleux certain ! la rassure Vicky tout en tentant de se réconforter elle-même.

— Toi, Caro, le beau Thomas ? lâche Katia en envoyant un clin d'œil appuyé à son amie.

— Vous êtes fatigantes avec lui! Je vous ai dit ce que j'en pensais! Bonne nuit! fait-elle, un peu vexée, en se retournant dans son lit portatif en guise de réponse.

JOUR 7
VOL AQ993
CANCÚN–MONTRÉAL
15 H 17

— On ne peut vraiment jamais savoir à qui on a à faire dans la vie! déclare Caroline, qui essaie une fois de plus de replacer ses tresses pour dégager son visage.

— Est-ce qu'il y a une personne qu'on a bien analysée dans tout ce voyage-là? demande Katia, en feignant un air exagérément à bout de nerfs.

— Même les gens locaux étaient «crosseurs». Imaginez! Cancún: station balnéaire du mensonge!

— Pensez à tous les vacanciers qui se font avoir comme des enfants d'école!

— Moi, dès le départ, je me doutais de quelque chose, avance Katia, en levant un peu le nez.

— Menteuse! Tu t'es fait prendre comme tout le monde!

— Caro pire que moi!

— Le point n'est pas qui s'est fait arnaquer ou pas, mais bien les valeurs sociales derrière ça et la façon d'appâter les touristes! tempête celle-ci, encore profondément insultée par les évènements.

JOUR 4

PLAYA LUNA RESORT
CANCÚN, MEXIQUE

— Je vous annonce que j'ai encore trop bu hier, moi! conclut Katia, étourdie de s'être levée du lit un peu trop promptement.

— Allez! On se grouille le derrière! On va être en retard pour l'activité! la presse Caroline en terminant de se préparer.

— C'est quoi l'idée d'avoir des activités au programme, en vacances? Soixante-cinq dollars l'excursion, en plus! ironise Vicky, en mettant ses effets personnels dans un sac.

— Si on était allées à la rencontre d'information de groupe du deuxième jour, on aurait obtenu un rabais de 10$ par personne, reprend Caroline, en croisant les bras.

— Bien oui! Je te rappelle que tu étais la première à être «indisposée» ce jour-là. Même pas capable de te rendre au buffet sans manquer de le faire dans tes shorts, la relance Vicky.

— Zut! T'as encore manqué ton yoga ce matin, Vicky! Tu dois être tellement déçue, en rajoute Caroline, contente de lui souligner son manque de rigueur devant ce qui semblait si important pour elle durant la planification du voyage.

— Arrêtez donc ! Franchement ! Deux bébés ! s'en mêle Katia.

— Tu sauras que je l'ai fait, mon yoga : dans la mer, aux petites heures de la nuit ! La posture de la grenouille enroulée, tu connais ?

— Je venais ici pour visiter le coin, rencontrer des Mexicains, apprendre leurs coutumes, vivre leurs traditions, pas juste pour me soûler, moralise Caroline. Vous m'aviez promis avant de partir qu'on ferait des activités...

— On en a fait une activité locale, hier ! Ça s'appelait : pelotons-nous sur une plage mexicaine. Assez culturelle, merci ! divague à son tour Katia, en saisissant un flacon d'aspirines dans la poche latérale de sa valise.

— Surtout dans ton cas ! T'avais même un vrai figurant ethnique ! ajoute Vicky, qui tend la main afin de recevoir des cachets pour contrer le mal de bloc qui lui martèle les tempes.

— C'est juste une demi-journée d'activité en plus : la fabrique de cigares, le marché et un village traditionnel, lui rappelle Caroline en tâtant son chapeau antimoustique, pas sûre de vouloir l'emporter ou non.

— Euh... Non, désolée ! Tu ne portes pas ton casque de Viêt-cong si je me trouve en ta compagnie ! affirme Vicky pour contrecarrer son ambivalence.

Celle-ci ne répond pas, trop concentrée à insérer soigneusement ses cartes bancaires, ses papiers personnels et son passeport dans son sac de taille bien dissimulé sous ses vêtements. Elle enfile ses espadrilles de marche, ajuste la ganse de cuir de son appareil photo placé en bandoulière et glisse une minipochette de premiers soins dans son sac. Elle choisit finalement son autre chapeau ; un modèle plus sobre, beige, à l'effigie d'une marque populaire de vêtements sport. Elle est en train de se vaporiser le corps d'une épaisse couche de crème solaire, suivie d'une seconde de chasse-moustiques, lorsque Katia l'agace de nouveau :

— Caro, on ne s'en va pas en mission ninja dans la brousse équatoriale ! Si ça se trouve, ça doit être à dix minutes d'ici en autobus climatisé de luxe.

— Pas de risque à prendre. En sortant du *resort*, c'est le vrai Mexique, ma chère ! La pauvreté, les bidonvilles, les infections et les maladies, les insectes tropicaux..., se défend Caroline, qui tente de les sensibiliser aux multiples dangers potentiels.

— Non, pour moi, le vrai Mexique, c'est la *cerveza*, la téquila, les margaritas..., plaisante Katia, qui cesse brusquement d'énumérer toutes ces boissons, la nausée lui rappelant ses abus de la veille.

— Je ne sais pas quelle robe mettre, râle Vicky en scrutant deux modèles étalés sur son lit.

— On ne s'en va pas à un défilé de mode non plus !

— Il faut être coquette en tout temps, ma chère. Peut-être que le beau Dawson sera de l'expédition !

— C'est différent de chez nous, mais pas aussi pauvre que je le pensais, confirme Caroline, presque déçue, en analysant les environs durant le trajet en autobus.

— L'image que tu entretenais du Mexique était un peu exagérée, Caro, en déduit Vicky. Les gens s'habillent comme nous, avec des jeans et tout.

— Ils ne portent même pas de chapeaux mexicains comme celui que tu as acheté, se désole de nouveau Caroline en contemplant le panorama, le visage collé à la fenêtre.

— Et toi ? Ils sont où ta ceinture fléchée et ton casque de poil de raton, chère Canadienne ? demande Katia, pour lui faire prendre conscience que les emblèmes traditionnels des peuples sont souvent peu exploités dans le quotidien des gens.

— Les villages devraient être plus traditionnels par contre, la rassure Vicky, avant de lui tapoter la cuisse en constatant sa mine déçue.

Lorsque l'autobus emprunte un petit chemin de terre battue légèrement rougeâtre, la campagne apparaît dans le paysage environnant. De petites chaumières de bois rudimentaires se dressent de chaque côté de l'étroite rue du petit hameau. Des gens y déambulent lentement et les enfants s'amusent tout autour : certains avec des billes au sol, d'autres avec de grands cerceaux qu'ils poussent à l'aide d'un bâton. Les femmes, vêtues de longues jupes aux motifs fleuris, fixent l'autobus avec stupéfaction, déstabilisées de voir des gens en descendre. Les hommes, quant à eux, arborent tous le traditionnel sombrero brodé.

— Tu vois, ils les portent dans les villages ! se réjouit Caroline, en prenant des clichés par la fenêtre de l'autocar. C'est donc bien pauvre, ici !

Au moment où les vacanciers posent le pied au sol après avoir franchi la porte du véhicule, ils sont assaillis par des demandes de toutes sortes. On tente de leur vendre des figurines représentant des Mexicains, des poupées gigognes colorées, des porte-clés... Certains enfants tendent une main en direction des touristes, l'autre servant à désigner leur bouche pour leur signifier que la quête d'argent servira à les nourrir.

— Mon Dieu ! Ils ont faim ! crie presque Caroline, sous le choc de voir tant de gens dans le besoin.

Le chauffeur annonce aux touristes qu'ils disposent d'environ trente minutes pour se promener dans le village, en leur précisant qu'ils sont autorisés à entrer dans les maisons. Les trois filles parviennent à se dégager de l'assaut des premiers villageois et se dirigent tranquille-ment vers une première habitation, à droite de l'unique petit chemin de terre. Lorsqu'elles y pénètrent, une âcre odeur de fumée envahit la minuscule pièce à aire ouverte. Cette pièce centrale semble servir à la fois de chambre, de salon et de cuisine, puisqu'on y voit des matelas au sol, des chaises et une petite table de bois. La propriétaire leur sourit en leur désignant d'emblée une autre petite table de fortune contenant encore diverses babioles à vendre. Un homme, probablement son mari, se trouve tout près, assis sur une chaise berçante.

— Bonjour, leur fait Caroline en français, en leur faisant de grands signes de salutations avec les mains.

— Ben là. N'exagère pas, Caro. Ils ne sont pas attardés, quand même. Si ça se trouve, ils doivent parler un peu anglais..., lui murmure Katia pour calmer un peu les ardeurs de mère Teresa.

— *You, English ?* tente alors Caroline, en souriant démesurément en direction de la femme.

Celle-ci plisse les yeux en les examinant d'un regard quelque peu effarouché.

— Tu vois ! Ils ne croisent pas des Blancs souvent ! affirme Caroline en portant la main à sa poitrine. « Ca-ro-line », se présente-t-elle en détachant chaque syllabe, comme si elle s'adressait à un enfant de trois ans.

Vicky lance un œil interrogateur en direction de Katia, sceptique quant au fait que ces gens rencontrent peu de touristes, alors qu'ils habitent à moins de quinze minutes d'une des stations balnéaires les plus convoitées du Mexique. Caroline montre son appareil photo à la femme. Elle tient celui-ci au bout de son bras en guise de demande officielle pour prendre un cliché d'elle. L'homme assis au fond de la pièce se lève et propose aux femmes de prendre la photo pour elles. Habile pour manier l'appareil, il centre les trois filles avec la Mexicaine, appuie sur le bouton et redonne ensuite l'objet à sa visiteuse. La Mexicaine semble impressionnée de voir la photo directement sur l'écran numérique; elle l'observe un instant avant de se tourner vers Caroline. De sa main droite, elle lui fait un signe de dollar puis l'ouvre, la paume vers le haut.

— Qu'est-ce qu'elle veut? s'étonne celle-ci, pas certaine de déceler le signe qui lui est pourtant bien destiné.

— Que tu la paies pour la photo, explique Katia, au courant de cette pratique pour l'avoir déjà vécue à Cuba.

— Faut payer pour les photos?

La femme, un peu insistante, refait son signe accompagné d'une moue chagrine; elle porte son autre main à sa bouche, pour signifier à son tour qu'elle veut de l'argent pour se nourrir. Caroline lui tend quelques dollars américains, attendrie, bien malgré elle, par la pauvreté de ces habitants. Les enfants du couple entrent en trombe dans la maison; une petite fille d'au plus quatre ans et un garçonnet d'environ huit ans viennent se planter bien droit devant les étrangères.

— OOOOH! Ils sont *cutes*! s'exclame Caroline, qui montre de nouveau son appareil à la femme pour ravoir la permission de prendre des photos de ses enfants.

Elle acquiesce d'un signe de tête et demande en espagnol aux enfants de se placer devant elle. Une fois le cliché réalisé, la Mexicaine refait un signe de dollar à Caroline.

— Elle veut encore de l'argent ?

Katia hausse les épaules tout en se dirigeant vers la porte de sortie. La femme, qui constate que la touriste semble un peu réticente à lui donner quoi que ce soit, lui propose plutôt d'acheter un souvenir sur sa table. Caroline prend au hasard un porte-clés, la paie et sort, après lui avoir chaleureusement serré la main.

— Il faut être pauvre pas à peu près pour quêter de l'argent ouvertement de même. Mais 5 $ pour un porte-clés, c'est assez cher, merci, je trouve !

En reprenant le petit chemin de terre au sortir de la maison, les filles observent les alentours et remarquent un homme dans la trentaine qui ouvre des noix de coco, sur une bûche de fortune, presque au milieu du sentier. Il leur sourit timidement en soulevant son chapeau sur leur passage. Fait assez rare pour un Latino-Américain, il a les yeux bleus perçants.

— *My god !* Il est presque *cute*, lui ! remarque Katia en l'examinant langoureusement.

— Bien voyons ! Il est super pauvre, lui rappelle Vicky, rebutée par ce détail.

Vêtu d'une salopette poussiéreuse, l'homme paraît en effet très sale en raison des chemins non asphaltés et des journées qu'il passe à trimer dur à l'extérieur. Son visage aussi est sali, mais il semble serein et il sourit à belles dents aux vacanciers qui déambulent dans son village. Katia le prend en photo. Bien qu'il l'aie vue faire, il ne lui quémande rien en retour.

— Ils ont l'air tellement heureux dans leur pauvreté!

La fabrique de cigares se trouve tout près du village, au bout d'un sentier aménagé en pleine jungle. Une grande bâtisse au toit de tôle et sans murs laisse entrevoir plusieurs longues tables, alignées sur quelques rangs, où s'activent environ une trentaine de personnes habillées presque en lambeaux. À chaque poste de travail, on peut apercevoir de nombreuses piles de larges feuilles de tabac, qui seront roulées bien serrées avant d'être baguées. Trois hommes arpentent les diverses rangées, en inspectant rigoureusement le travail minutieux des employés.

— C'est surprenant de voir une petite industrie comme ça érigée en pleine nature.

— Surtout étonnant que ce soit une fabrique de cigares. Il me semble que l'on voit ça à Cuba, pas au Mexique, affirme Katia, confuse.

— Que tu es suspicieuse, Kat!

— As-tu déjà entendu parler d'une distillerie de téquila à Cuba, toi?

Un guide s'exprimant en français leur explique le dur labeur de ces ouvriers; leur salaire journalier minable; les rudiments de la fabrication de cigares de qualité, lesquels se vendent cher, mais rapportent peu aux travailleurs, et blablabla. Prises de pitié par les conditions de travail de ces pauvres gens, les filles donnent quelques dollars pour une fondation en développement international visant à fournir un environnement de travail plus adéquat aux Mexicains les plus démunis. Katia, toujours à l'affût d'un mâle alpha, remarque un autre homme au physique intéressant.

— Encore un mec *sexy* là-bas ! Coudonc ! dit-elle en regardant à la dérobée un travailleur qui lui envoie un large sourire.

— Arrête donc de «*cruiser*» le pauvre monde !

— T'es comme mère Teresa, mais au lieu d'aider les pauvres gens et de leur apprendre à lire, tu veux coucher avec eux ! rigole Vicky en poussant Katia.

— Le don de soi est une de mes vertus, plaisante de nouveau celle-ci, en adressant une moue adorable au jeune Mexicain.

Ce dernier lui envoie un clin d'œil éloquent, puis poursuit sa besogne qui consiste à taillader les feuilles de tabac pour en faire des rouleaux bien symétriques. Il porte un pantalon brun, du genre ancien temps, avec une chemise fort crasseuse et des bretelles également brunes.

— Ça se peut-tu, dégager autant de *sex-appeal* en étant si sale et si pauvre ! s'émeut Katia en levant son appareil pour le prendre en photo étant donné qu'il sourit dans sa direction en levant le pouce.

— Ce n'est pas vraiment séduisant, en effet. C'est toi qui as un problème, souligne Vicky, en faisant une mine un peu dégoûtée.

Tout comme le type précédent, il ne lui sollicite pas d'argent pour le cliché. Le guide met un peu de pression sur les visiteurs pour qu'ils se procurent les cigares ici, et non sur la plage ou dans les marchés, afin d'encourager directement les ouvriers. Les filles en achètent chacune une petite quantité, sans trop savoir à qui elles les offriront à leur retour.

— C'est quand même bizarre que les cigares se vendaient moitié moins cher au marché, pour la même quantité! remarque Caroline, en mettant de l'ordre dans ses quelques achats de la journée qui gisent pêle-mêle sur le lit.

— Tout le monde tire la couverte de son bord pour faire le plus d'argent possible. C'est normal, ils sont pauvres!

— J'ai soif! On est en retard pour boire, là! prétend Katia, qui se rend à la salle de bain pour mettre son maillot.

— Et dire qu'on a vu Brad Pitt au marché! C'est fou, je n'en reviens encore pas! s'exclame Vicky, en pâmoison, en se laissant choir à la renverse sur son lit.

— Tu hallucines des bananes ! Ce n'était pas lui pantoute ! Voyons, le gars avait une grosse bedaine ! rectifie Katia, en haussant le ton pour être entendue de la pièce où elle se trouve.

— Vous avez mal vu ! Peut-être que lui et Angelina veulent adopter un autre enfant au Mexique ?

Elle semble si convaincue de sa vision que les filles ne la contredisent pas. Après s'être relevée pour s'inspecter dans la glace, Vicky pousse un cri de mort.

— Aaaahhhhh ! Bon ! La face me déroule maintenant !

— Pas surprenant, avec le coup de soleil que tu as pogné !

— *Shit !* Dawson ne voudra plus rien savoir de moi, ce n'est vraiment pas beau !

— Mets de la crème en abondance pour hydrater ta peau !

— «Mets de la crème» ! Comme dans l'annonce à la télé, rigole Vicky, en se résignant à appliquer ledit conseil.

— Bon, vite, on va au bar ! Faut rentabiliser notre «tout inclus» ! Ils ne feront pas d'argent avec nous autres !

— C'est fou comme ma face est affreuse, se décourage de nouveau Vicky, qui s'examine toujours attentivement dans le miroir. Je pense que je vais mettre ton casque-moustiquaire, finalement...

— Il se trouve juste là !

— Les filles, c'est long! Vicky, on attend tout le temps après toi, trépigne Katia en soupirant.

— Elle est agressive parce qu'elle est en sevrage d'alcool, exagère Caroline, en s'adressant à Vicky comme si leur amie ne pouvait pas les entendre.

— Moi aussi, je pense! Bon, je suis prête, lance Vicky, qui termine de se badigeonner généreusement le visage ainsi que la poitrine et les épaules.

En sortant de leur chambre, les filles passent par le hall pour rejoindre le chemin menant à la plage. Elles croisent «le voisin» dans le corridor longeant le bar central. Vicky, toujours curieuse de voir l'attitude qu'il adoptera, le fixe de loin. Lorsqu'il l'aperçoit, il détourne le regard comme s'il ne l'avait pas vue et bifurque vers un chemin opposé.

— On a maintenant la confirmation qu'il m'a vue hier et qu'il est scandalisé que j'aie trompé son ami! Cibole! s'offusque Vicky en constatant la fatalité de la situation.

— Ben non! On dirait juste qu'il ne t'a pas vue, fait remarquer Katia.

— Arrête! Si ça se trouve, il lui a peut-être déjà écrit un message privé sur Facebook: «Excuse-moi, cher Christian, ta blonde est une salope; elle se faisait sauter dans la mer hier...»

— Impossible! Il ne lui annoncerait pas un adultère à distance de même de toute façon, c'est trop délicat, tente de raisonner Caroline, confuse quant à la véracité ou non de l'hypothèse de Vicky.

JOUR 7
VOL AQ993
CANCÚN–MONTRÉAL
15 H 23

Vicky, qui scrute encore son visage dans un petit miroir de poche, applique une fois de plus de la crème hydratante.

— Mets de la crème ! chantonne Katia.

— Je ne suis plus capable de vous entendre dire ça. Vous m'avez sans cesse répété ça toute la semaine, souffle Vicky en roulant des yeux.

— Je vais penser à toi chaque fois que cette pub télé va passer, et ce, pour le reste de ma vie, ajoute Caro pour l'agacer.

— Je commence à avoir des petits boutons bizarres tellement je « mets de la crème » depuis six jours...

— Ça se peut que tu en aies ailleurs aussi. Tu vas vraiment devoir consulter un médecin dès ton retour, lui balance Caroline sans trop réfléchir.

— OK LÀ ! Je sais ! Pas besoin de me le rappeler toutes les deux minutes ! s'offusque celle-ci en se tournant vers son amie.

En repensant à son voyage et aux conséquences qui pourront peut-être en découler, Vicky se remet à pleurnicher de plus belle.

— Excuse-moi, Vic! Je ne voulais pas te faire de la peine. C'est sorti tout seul...

— Regarde, je suis une grande fille. J'ai fait la conne! Je suppose que je dois assumer tout ce qui en résultera, rationalise celle-ci entre deux sanglots.

Katia fixe l'allée, songeuse; puis elle émet enfin un commentaire pour apaiser son amie:

— Au moins, toi, tu sais TOUT ce qui s'est passé dans ton voyage. Je ne peux pas en dire autant. Pas trop fière de ça. À trente ans et des poussières, ça fait vraiment dur...

— Ah, les filles, arrêtez de vous souvenir juste des affaires plates, essaie de les réconforter Caroline.

— On sait bien, toi, tu n'as pas fait la nouille comme nous autres...

— Ouin, c'est vrai ça, ajoute Vicky, qui appuie le commentaire de Katia tout en se mouchant le nez.

Caroline, qui continue à encourager ses amies à focaliser sur les moments agréables, met l'accent sur un événement en particulier:

— Avouez que, quand on a découvert le pot aux roses au bar, c'était drôle en maususse!

JOUR 4

PLAYA LUNA RESORT
CANCÚN, MEXIQUE

— C'est bon cette chanson-là! s'excite Katia, qui se déhanche lascivement près du bar de la plage.

Encore une fois, sous l'effet de l'alcool, et bien qu'il soit seulement 16 h, les filles se dandinent au son de la musique exotique. Elles en motivent même plusieurs à faire de même en tapant des mains. Le groupe de Québécois s'est joint à elles. Thomas discute encore avec Caroline pendant que Vicky, le nez en l'air, cherche Dawson. Elle s'approche de Katia :

— Coudonc! Je ne le vois nulle part, se désole-t-elle.

— Relaxe, il est peut-être en ville, ou dans une excursion, la rassure Katia, qui aperçoit au même moment le couple de vacanciers qu'elle aime tant.

— Allo les CC! crie-t-elle en se dirigeant vers eux, à l'autre extrémité du bar.

Elle embrasse chaleureusement l'homme et la femme comme s'ils étaient des amis de longue date. Claude et Carole commandent chacun un *«piña Canada»* avant de choquer gaiement leurs verres avec celui de Katia. Comme celle-ci continue de se mouvoir sur la musique entraînante, Carole se lève pour se trémousser à ses côtés. Claude observe amoureusement sa femme avant de la tirer vers lui pour l'embrasser goulûment.

—Vous êtes tellement beaux à voir! Je veux que ce soit comme ça avec l'homme de ma vie, confie Katia, en bafouillant légèrement, l'alcool faisant son effet.

Le couple se regarde et sourit en direction de Katia.

Pendant ce temps, à quelques mètres d'eux, le groupe de Québécois porte un ixième toast et Thomas annonce haut et fort:

—On sort en ville ce soir!

—Ouuuuuuh! approuve la bande, en continuant de bouger doucement au son de la musique.

—Si je mange trop, je vais tomber endormie raide, avoue Katia en scrutant les mets offerts dans les allées du restaurant.

—Dawson est vraiment nulle part, je vous jure, fait encore remarquer Vicky, déçue de ne pas l'avoir croisé de toute la journée.

—Il sera peut-être à la discothèque. Thomas a affirmé que c'était LA place en ville ce soir!

—Le beau Thomas a dit ça! Ouuuh! la taquine une fois de plus Katia en prenant place à une table.

—Arrête donc, Miss-*trip*-à-trois! plaisante Caroline, en faisant signe au serveur de venir à leur table pour les boissons.

— Es-tu malade... un «*trip* à trois»! ¡*Vino tinto, por favor!*[8] crie presque Katia, un bras en l'air.

Assis à la table voisine, un couple sourit en voyant les filles faire la fête, celles-ci riant aux éclats. Katia engloutit trois grosses bouchées de son assiette avant de revenir sur le sujet cocasse abordé par Caroline.

— *My god* que j'ai fait le saut quand Claude m'a confié : «Tu sais, ma femme et moi, on est assez ouverts si tu veux t'amuser avec nous un de ces soirs...» PARDON?

Les filles éclatent de rire encore plus fort à table.

— Un couple d'échangistes! Voyons donc! balbutie Vicky, amusée. Il n'y a pas juste nos élèves du secondaire qui sont dévergondés dans leurs *partys*!

— Qui voudrait faire ça avec eux de toute façon? questionne Caro, les bras largement écartés à la hauteur des épaules.

— Le pire, c'est que je n'ai techniquement personne à leur «échanger», ajoute Katia, en haussant les épaules innocemment.

— Ils t'ont vue avec Fernando et ils veulent «échanger culturellement» avec un Latino! spécule Caroline, en levant un des verres de vin trop froid que le serveur vient de déposer au centre de la table.

---

8. Vin rouge, s'il vous plaît!

Les trois copines trinquent joyeusement avant de replonger le nez dans leur assiette.

— Je vais essayer de lui pogner les fesses à lui, ce soir...

— Tu ne sors pas avec nous ? se désole Vicky.

— Oui, mais je vais revenir vers minuit. Il m'a donné rendez-vous sur la plage...

— C'est vrai, la plage, c'est comme un bordel ici le soir ! J'avais oublié...

— Bon, on apporte nos verres à la chambre en se préparant ? propose Katia, qui termine en deux bouchées et sans trop d'intérêt son repas.

— Bonne idée !

Au moment de se diriger vers la discothèque, tout le groupe discute encore bruyamment sur le trottoir devant le hall de l'hôtel. Thomas, qui semble responsable de la mobilité de la bande, revient pour annoncer à tous :

— La réceptionniste a appelé deux taxis supplémentaires. La course coûte environ 10 $ pour se rendre au bar.

— On se voit là ! crient quelques Québécois en entrant sans ordre précis dans les deux véhicules déjà stationnés devant le complexe hôtelier.

L'ambiance est très à la fête et les berlines jaunes se remplissent en moins de deux; chacun s'y introduit gaiement, un verre à la main. Caroline reste sur le trottoir avec Thomas, patientant pour les prochains taxis avec le reste du groupe.

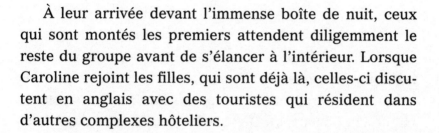

À leur arrivée devant l'immense boîte de nuit, ceux qui sont montés les premiers attendent diligemment le reste du groupe avant de s'élancer à l'intérieur. Lorsque Caroline rejoint les filles, qui sont déjà là, celles-ci discutent en anglais avec des touristes qui résident dans d'autres complexes hôteliers.

— Hé! Je pensais que tu nous suivais dans le deuxième taxi, s'exclame Vicky en apercevant son amie se joindre à eux.

— Non, il était déjà plein. J'ai attendu les autres, justifie Caroline.

— Tout le monde se parle en voyage, c'est tellement le *fun*! s'excite Katia, qui continue d'échanger avec leurs nouveaux amis.

Vicky met Caroline au parfum des dernières nouvelles.

— J'ai vu Dawson quand je suis arrivée. Il entrait dans le bar avec ses amis. Il ne m'a pas vue... Je suis jolie avec cette robe?

— Super! se réjouit Caroline en souriant à son amie, l'air un peu préoccupé.

— Ça va ?

— Oui ! oui !

La discussion avec les inconnus reprend de plus belle.

— Bon ! On entre, les filles, presse-t-elle ses amies en se dirigeant vers le portier.

La discothèque à ciel ouvert paraît immense et la musique, extrêmement forte, semble amplifiée par des notes basses trop prononcées. Des lumières versicolores clignotent de partout. Dès que le groupe entre dans l'établissement, tout le monde se dirige vers le bar pour s'abreuver avant de s'installer à une table haute, en biais de la piste de danse. Les filles y déposent leurs verres et prennent immédiatement d'assaut l'espace dansant. Après quelques moments de déhanchements dans la chaleur suffocante du Mexique, Katia déclare aux filles :

— Je retourne au bar ! J'ai calé mon verre tellement j'avais soif !

— Je vais avec toi !

Elles se déplacent finalement toutes les trois vers le comptoir où bourdonnent des dizaines de jeunes serveuses et serveurs mexicains très bien habillés. Deux garçons s'offrent en même temps pour servir les filles en anglais. Caroline commande à l'un pendant que Katia lève les yeux vers celui qui lui fait face. Lorsqu'elle voit son visage de plus près, elle ressent une impression de déjà-vu. Elle l'observe plus attentivement et lui commande finalement une bière. Pendant qu'il a le dos tourné, elle donne un coup de coude à Vicky.

— Voyons, on dirait que je le connais, lui!

— Bien voyons, Kat, ça ne se peut pas! À moins qu'il soit serveur aussi dans notre hôtel le jour, rigole celle-ci, en portant peu d'intérêt à l'homme.

— C'est peut-être ça...

Le barman revient avec la consommation de Katia. Elle prend bien son temps pour lui tendre les billets tout en le dévisageant. En vrillant son regard dans ses grands yeux bleus, elle frappe de nouveau Vicky avec fébrilité. L'homme repart vers la caisse.

— *My god!* On dirait que c'est le gars *cute* qui était dans le village de pauvres ce matin!

— Hein? Lequel? font Vicky et Caroline, en tentant de prêter un peu plus attention cette fois-ci.

Le garçon qui revient avec de la monnaie lui lance un clin d'œil avant de sourire à pleines dents aux deux autres filles, puisqu'elles le dévisagent curieusement.

— Bien oui! C'est lui! Le gars qui coupait des noix de «gastro»!

Le Mexicain, un peu intimidé, continue de sourire. Il semble cependant se demander ce qui se passe.

— Quessé ça? se désole Caroline, déstabilisée par la découverte qu'elles viennent de faire.

Hardie, Katia, à demi penchée au-dessus du bar, lui dit, en anglais, qu'elles l'ont aperçu ce matin au village, près de la fabrique de cigares. Stupéfait, il recule de quelques pas en faisant des signes de dénégation. Il se déplace afin de servir d'autres clients, complètement à l'autre bout de l'immense bar.

— J'en reviens pas ! s'exclame Katia. C'est certain que c'est lui. Des yeux de même, ça ne s'oublie pas !

— C'est une méchante arnaque, ce village-là !

Les filles retrouvent le groupe et oublient rapidement toute cette histoire. Elles se laissent plutôt entraîner par une chanson rythmée qui commence.

JOUR 7

VOL AQ993
CANCÚN–MONTRÉAL
15 H 30

— Regarde sa photo ! Pas de doute, c'était vraiment lui ! confirme Katia en présentant à ses amies le gars en gros plan sur l'écran de son appareil photo.

— Je le sais bien ! Non mais, ils nous prennent pour des cons, ou quoi ?

Vicky a cessé de pleurer l'apparition de ses boutons sur le corps. Après avoir reniflé quelque peu, elle propose une hypothèse :

— Ils voient débarquer des milliers de touristes qui viennent boire comme des trous dans leur pays pendant une semaine, en faisant plein de niaiseries ; ils peuvent bien penser qu'on est des épais ! Je les comprends !

— Une *gang* de Blancs attardés qui viennent manger, boire et avoir le flu dans leur beau pays ! J'avoue que leur opinion de nous peut être légèrement biaisée ! Comment veux-tu prendre au sérieux un blanc-bec qui te commande un «*piña Canada*», l'air certain que ça s'appelle comme ça ? ajoute Katia en agitant les menottes en l'air.

— Celle-là, j'avoue que c'est vraiment la meilleure ! À lui tout seul, il fait baisser notre cote de crédibilité à moins zéro.

Caroline pouffe d'un rire exagéré, compte tenu de la nature du sujet. Ses deux amies se tournent vers elle et attendent des explications de sa part. Après avoir repris son sérieux, elle s'explique :

— Les filles, je sais que je vous en ai parlé souvent, mais je suis encore traumatisée par mon expérience de flu ce soir-là, justement !

— Arrête ! J'y pensais plus ! Je n'étais même pas là et je suis traumatisée autant que toi ! Ouache ! s'indigne vivement Vicky, qui semble oublier pendant un instant son chagrin du moment.

— *My god !* En repensant à ça, on dirait que je trouve les mésaventures désastreuses de mon voyage un peu moins graves ! Quand on se regarde, on se désole ; quand on se compare, on se console ! ajoute Katia, découragée, en soufflant sur une mèche de sa frange pour la faire relever.

— Mon Dieu Seigneur! Ça m'a coûté un chandail, mais c'est vraiment tout ce que je pouvais faire! se remémore Caroline, qui s'esclaffe de nouveau.

JOUR 4
PLAYA LUNA RESORT
CANCÚN, MEXIQUE

— Je vais aux toilettes, annonce Caroline à ses amies, toujours agglutinées autour de la piste de danse.

La foule dense lui complique le trajet pour s'y rendre. Caroline se place au bout d'une interminable file d'attente. Soupirant de découragement, elle échange un regard éloquent avec une femme qui fait le pied de grue, elle aussi. Seules deux salles de toilette sont mises à la disposition des femmes. Un portier à la carrure imposante en gère l'entrée et la sortie afin d'éviter des réunions de papotage interminables. Au compte-goutte, les vacancières quittent les toilettes, en adressant des sourires compatissants à celles qui attendent toujours dans la file. Son tour venu, Caroline pénètre dans la cabine du fond, qui est libre. En urinant, elle entend une voix étouffée venant du cabinet voisin. Ne voulant pas se mêler de ce qui ne la regarde pas, elle sort de sa cabine et se lave rapidement les mains au lavabo. Au moment où elle s'apprête à quitter la salle de toilette, le portier y entre et lui fait un haussement d'épaules. Par ce geste, il semble lui signifier, tout en lui désignant la porte du premier cabinet, qu'il s'interroge sur ce qui s'y passe. Mais il rebrousse chemin et permet à une autre femme d'y entrer, comme s'il lui déléguait la tâche d'examiner la situation. Caro colle son oreille près de la porte. Y percevant de nouveau des plaintes sourdes, elle cogne doucement en demandant en anglais si tout va bien.

— *NO ! I'm in trouble !* répond sans hésiter une fille, en laissant échapper un autre sanglot réprimé.

Caroline lui propose de l'aider. Celle-ci accepte et ouvre la porte en avouant à sa bonne samaritaine avoir eu un «*big problem*». À la vue de la scène dégoûtante, Caroline est prise d'un puissant haut-le-cœur. Visiblement, la fille a succombé à la tourista. La toilette semble bouchée ; soûle, la vacancière se tient debout, les pantalons descendus sur les genoux. Son palazzo de lin blanc arbore les mêmes couleurs que celles de l'intérieur de la cuvette. La jeune Américaine pleure toujours, en expliquant ne pas savoir quoi faire. Elle tente maladroitement de nettoyer son vêtement avec du papier de toilette ; celui-ci s'effiloche en petits rouleaux, maculant ainsi ses mains de la substance nauséabonde. «Oh ! Mon Dieu !» pense Caroline. Pour l'aider, elle prend plusieurs feuilles de papier brun et les mouille abondamment. La femme de la cabine d'à côté porte sa main à sa bouche en voyant la scène au sortir des toilettes. Elle quitte en trombe, et ce, sans même prendre le temps de se laver les mains. Caroline propose à l'Américaine de se laver les jambes et d'oublier son pantalon, complètement foutu de toute façon. Elle fait la navette plusieurs fois au lavabo pour lui apporter du papier brun. Maladroite, la fille titube en essayant de se nettoyer. Caroline lui suggère alors de retourner immédiatement à son hôtel. Mais celle-ci refuse de traverser le bar dans cet état et se met de nouveau à pleurer. Caroline pense vite à une solution et lui propose de lui enrouler son boléro à manches longues autour de la taille pour au moins cacher son arrière-train. La jeune fille, exténuée, ne réagit que très peu. Caroline enlève tout de même son chandail et lui demande de l'attacher elle-même, rebutée à l'idée de la toucher. Elles quittent la salle de bain, en laissant la toilette dans cet état désastreux. Caroline hausse les épaules en direction du portier, en semblant lui dire : «Je me suis occupée de la fille, je ne vais pas récurer la toilette en plus!» En tenant l'Américaine par l'épaule, elle l'oriente vers la sortie et la fait entrer dans le premier taxi disponible. Docile, la jeune fille s'assoit à l'arrière et Caroline veille à ce qu'elle montre son bracelet au chauffeur pour qu'il la conduise au bon complexe hôtelier. Avant de refermer la portière, la fille se tourne vers sa bonne fée, les yeux vides :

— *Thank you...*

— *It's OK.*

Caroline observe le taxi s'éloigner, compatissante, mais tout de même en regrettant un peu son chandail boléro qu'elle aimait bien...

JOUR 7
VOL AQ993
CANCÚN–MONTRÉAL
15 H 38

— J'en reviens toujours pas! Je la comprenais tellement, vous pensez, avec mon expérience du jour deux! se souvient Caroline, en secouant de nouveau la tête de gauche à droite.

— C'est ça, le karma? demande sottement Katia.

— Répugnant! Il fallait vraiment que ça tombe sur toi. Je ne suis pas certaine que j'aurais été aussi compatissante, avoue Vicky, avec une moue dégoûtée.

— Non, toi, princesse, tu l'aurais laissée là, c'est certain! affirme Caro en narguant Vicky du coin de l'œil.

— Eille! Être soûle au point de s'échapper de la sorte dans un bar, au Mexique! Ça, c'est *heavy*! commente Katia, qui juge le comportement de la fille.

Katia se tait, songeuse, et fixe l'allée pendant un moment avant d'ajouter:

— Quoique, je me demande si je n'aurais pas aimé mieux me chier dessus ce soir-là...

Sachant qu'elle fait allusion à sa fin de soirée surprenante, Vicky lui caresse le bras pour la rassurer.

— Peut-être qu'il ne s'est rien passé du tout aussi...

— C'est ça, le problème: je ne sais pas, et probablement que je ne le saurai jamais... C'est quoi, ça, mes pertes de mémoire d'alcoolique finie? réfléchit Katia, pas fière d'elle.

— Des fois, on fait des choses ou des gestes qu'on ne comprend pas trop, tente aussi de la consoler Caroline.

— Comme tu le dis si bien : on est des profs, il faut donner l'exemple un peu. Y a des limites à perdre le contrôle, tout de même...

— Il y a pourtant une de tes pertes de contrôle que j'ai appréciée, lui rappelle Vicky en souriant mesquinement.

JOUR 4

PLAYA LUNA RESORT
CANCÚN, MEXIQUE

Assises au bar, les filles rigolent en entendant l'aventure que Caroline vient de vivre dans les toilettes.

— T'es la sauveuse de flu ! affirme Vicky, qui balaie de nouveau l'horizon à la recherche de Dawson.

— Tu t'es lavé les mains, ch'espère ? la taquine Katia, comme si elle avait dédain d'elle.

Complètement soûle encore une fois, Katia esquisse un pas vers l'arrière, perdant presque l'équilibre. Vicky la retient en riant.

— Eille ! Attention ! Ne tombe pas par terre, toi !

— Tu devrais prendre un petit *break* d'alcool ! lui conseille Caroline, en éloignant sa bière d'elle.

— Bien non ! Che m'en vais rejoindre mon homme bientôt ! déclare Katia, en regardant sa montre de très près, les yeux dans le même trou.

Thomas, qui arrive par-derrière, agrippe Caroline par la taille ; il la fait tournoyer sur elle-même, au son de la musique rythmée. Celle-ci, tout sourire, se laisse faire docilement.

Le cou une fois de plus bien allongé, Vicky inspecte la piste de danse et ses environs. Bingo ! Certaine d'y avoir enfin aperçu Dawson, elle s'éloigne de ses amies pour confirmer sa vision. Le tableau qu'elle voit lui fait plier un peu les genoux. Le beau Dawson du Wisconsin danse langoureusement avec une fille pendue à son cou, qu'il embrasse sur les lèvres et sur les bras.

— QUOI ? crie-t-elle dans le vide.

Elle revient vers Katia qui se déhanche les yeux bien fermés.

— Cibole ! Timide, mon œil ! rage-t-elle en empoignant le bras de son amie pour l'amener constater la scène, dans une zone du bar où elles peuvent avoir un bon axe visuel.

— Quoi ? Où on va ? s'oppose Katia, qui ne comprend pas l'intention de son amie.

— Regarde, là-bas ! Le Wiscon-SIN a justement la face dans les SEINS de sa nouvelle recrue !

Dawson embrasse maintenant le décolleté généreux de la fille en question.

— Ah ben cibole, comme tu dis ! réagit mollement Katia, le sourcil relevé pour éclaircir sa vision trouble. Trou de cul ! Che vais lui montrer, moi ! décide celle-ci en se dirigeant vers eux. Au passage, elle saisit un verre qui semble contenir de la vodka-canneberge.

— Qu'est-ce que tu fais? Non! Non, reviens ici! crie Vicky en direction de Katia, qui est déjà partie.

Vicky attrape Caroline, qui discute toujours avec Thomas, et la tire vers la piste de danse.

— Urgence! Kat va faire la conne! Vite!

Lorsqu'elle arrive près de Dawson et sa conquête, le mal est déjà fait. Katia sermonne Dawson pendant que la pauvre fille essuie sa robe pâle, tachée du cocktail volé à la tire par Katia.

— *Sorry! Sorry! She's a bit drunk!* s'excuse Vicky, en faisant avancer son amie par des poussées dans le dos.

Dawson la dévisage, mi-penaud, mi-sceptique.

— *I just dance! Bailamamos!* Oups! Accident! *No problemo!* se défend sottement Katia, la tête tournée dans leur direction, comme si cela expliquait sa supposée «maladresse».

— Hein? Il est avec une autre fille? C'est qui? interroge Caroline, pas du tout au courant des évènements des dernières minutes.

— Oui, c'est pour ça que ch'ai chuste échappé un peu mon p'tit verre en dansant! justifie Katia, nullement repentante de son geste.

— Franchement! Méchant exemple de professeure modèle! Une chance que personne ici ne sait ce que l'on fait dans la vraie vie ! lui reproche Caroline, scandalisée par l'attitude peu mature de son amie.

Vicky lance un regard amusé à Caroline, tout de même mesquinement satisfaite de la vengeance de son amie.

— Eille ! Quand le vendeur de solidarité féminine est passé, tu lui en as acheté une caisse, toi ! affirme Vicky, en tapotant le dos de Katia, qui ondule toujours les yeux mi-clos au son de la musique.

— *No problemo !* Che lui ai acheté tout son stock ! répond Katia, un sourire niais sur le visage.

— Bon, toi ! Bouteille d'eau et taxi, et vite ! Tu vas nous faire perdre notre licence d'enseignement ! lui ordonne Caroline, en la regardant.

— Effectivement, compte tenu de son état d'ivresse avancé, Katia devrait aller se coucher.

— Vichhky : mets de la crème ! divague la principale intéressée, tout de même vive d'esprit malgré ledit état.

— Très drôle... T'es certaine qu'on la laisse rentrer seule ? s'inquiète-t-elle, en se penchant discrètement vers l'oreille de Caroline.

— Bien oui ! C'est à cinq minutes de taxi. En arrivant à l'hôtel, elle fait trois pas et se retrouve tout de suite dans la chambre.

— «*Grachhhias*»! remercie Katia, en payant généreusement le chauffeur de taxi.

Elle marche d'un pas titubant sur le chemin menant à la plage, avec l'espoir d'y retrouver Fernando. L'heure du rendez-vous étant largement dépassée, les chances de l'y trouver sont minces. Elle constate, désappointée, la présence de quelques couples gémissant de plaisir à des endroits isolés, mais pas de beau danseur latino dans les parages.

— Le «baisodrome» est occupé, à soir! chuchote-t-elle en retournant sur ses pas, tout de même triste d'avoir ainsi raté son rendez-vous.

Elle salue au passage tous les gens qu'elle croise.

— Tu veux prendre un dernier verre, ma belle? se propose-t-elle à voix haute, avant de s'autorépondre. «Oui! Che veux bien, merci!»

Tandis qu'elle se parle à elle-même, un couple la dévisage sur le chemin menant au bar du hall.

— Bonnes vacances! leur envoie-t-elle, consciente que l'homme et la femme l'examinent drôlement.

Elle prend nonchalamment place sur un des tabourets du bar, sans même explorer qui s'y trouve. La serveuse avance vers elle et dépose un sous-verre sur le comptoir.

— Téquila mechhhicaine, *por favor*! commande Kat, un doigt en l'air.

Elle observe ensuite autour d'elle, histoire de voir les clients qui profitent de la vie comme elle. Ses yeux tombent par hasard sur le couple d'échangistes, qui se bidonne en buvant un coup complètement à l'opposé d'elle.

—ALLO! crie-t-elle, contente d'apercevoir des gens connus.

—Viens donc t'asseoir, la belle! l'invite Claude, qui approche immédiatement un tabouret près d'eux.

La serveuse apporte sa téquila à sa nouvelle place et le couple s'empresse d'en commander une à leur tour pour l'accompagner.

—¡Salud! scande tout le monde, en levant bien haut leur petit verre.

—Ouuups! fait Katia, qui renverse la moitié du sien sur le comptoir.

JOUR 7
VOL AQ993
CANCÚN–MONTRÉAL
15 H 43

—Pfft! *Anyway*..., souffle Katia, affirmant ainsi ne plus vouloir en parler.

—On n'aurait pas dû te laisser rentrer seule, regrette Vicky.

—Ça pas rapport. Je n'ai pas quinze ans, quand même.

—J'ai envie. Je reviens, annonce Caroline, en se levant pour aller à la toilette.

Silence radio. Malaise. Un ange passe. Vicky regarde la moquette ; Katia, le plastique des murs de l'habitacle. Caroline revient.

— Méchante soirée en tout cas, rappelle-t-elle de nouveau, en reprenant place sur son siège.

— Soirée de marde, oui ! Le soir, on n'a pas capoté tout de suite. C'est le lendemain matin qu'on a pris panique ! explique Vicky, sans regarder son amie, pour ne pas la mettre encore plus mal à l'aise.

— On dirait que j'ai tellement regretté de t'avoir laissée partir toute seule. Sur le coup, je me suis dit : « Elle est soûle, mais ce n'est pas si compliqué de se rendre à l'hôtel... » ; le matin, je me disais plutôt : « Merde ! S'il lui est arrivé quelque chose, c'est carrément notre faute », avoue Caroline, encore ébranlée par le sentiment qui l'habitait ce matin-là.

— Ben non, ce n'est pas votre faute, voyons. Je vous l'ai dit, je suis une grande fille... En âge, en tout cas...

JOUR 4

PLAYA LUNA RESORT
CANCÚN, MEXIQUE

Au retour du bar, Vicky, tape bruyamment du pied sur le trottoir devant l'hôtel. Caroline peine à la désamorcer. Elle ne décolère visiblement pas à la suite de sa découverte scandaleuse.

— Gros BS! C'est quoi, l'affaire: il se tape une fille différente chaque soir? À cet âge-là, il me semble qu'on aime mieux «*tripper*» avec la MÊME fille toute la semaine, non? Je ne suis pas assez *cute*, ou quoi?

Impuissante, Caroline hausse les épaules en guise de semi-approbation à sa première question.

— Non mais, farcis-toi toutes les touristes du Mexique, tant qu'à y être! Ou encore deux par jour, ce serait mieux!

— Ouin...

— Et le pire dans toute cette histoire, c'est que Wisconsin n'avait même pas l'air mal à l'aise quand je suis allée chercher Katia près de lui. Au moins, force-toi pour avoir l'air désolé un peu, gros con! Bon, je vais me coucher...

JOUR 5

PLAYA LUNA RESORT
CANCÚN, MEXIQUE

— Ouf! Ce n'est pas dix maillots de bain que j'aurais dû apporter, mais dix pots d'aspirines, se plaint Vicky en ouvrant un œil au petit matin.

Caroline, troublée, voire presque dans un état de panique, lui annonce, en sortant un peu sa tête de la salle de bain:

— Kat n'est pas venue coucher pantoute. Moi, je n'aime vraiment pas ça!

— Ouin, j'avoue que là, c'est curieux...

— S'il lui était arrivé quelque chose dans le taxi et qu'elle n'était jamais rentrée? se met à paranoïer Caro.

— Arrête, tu me fais peur, là!

— Vicky, il faut appeler la police! Prévenir l'ambassade canadienne...

— Ayoye, je panique! On dirait qu'hier j'étais soûle et obsédée par mon autre con et je n'ai comme pas réalisé la gravité de la situation...

— Moi, j'étais certaine qu'elle allait rentrer aux petites heures du matin...

Vicky se lève à son tour et les filles s'habillent en hâte pour courir vers le hall de l'hôtel. Vicky dit en anglais à la réceptionniste que leur amie n'est pas rentrée hier soir. Elle lui explique l'histoire du taxi et celle de la discothèque, en lui précisant l'heure avec exactitude. La réceptionniste propose de consulter la gardienne de nuit qui était en poste hier. Elle pourra sans doute se rappeler l'avoir vue rentrer ou non. Comme celle-ci se trouve présentement ailleurs dans le complexe, la Mexicaine leur conseille d'attendre, en les rassurant que des situations de ce genre arrivent souvent et que, la plupart du temps, les vacanciers se trouvent bel et bien dans le complexe hôtelier, mais seulement dans une autre chambre...

— Elle ne peut pas se trouver dans une autre chambre, elle se tape un de tes collègues qui n'en a pas, justement, murmure Vicky en français.

La réceptionniste retourne derrière son ordinateur.

— Elle va sûrement bien. Elle est probablement avec Fernando, cachée quelque part, peut-être même chez lui... Mais elle va bien, c'est certain! essaie de se rassurer Caroline, en prenant la main de Vicky.

— J'espère aussi...

Quelques instants après, comme par magie, Katia apparaît dans le corridor adjacent au hall du complexe hôtelier. Elle tourne le coin près du bar, d'un pas décidé, mais la tête basse, pour aller en direction de leur chambre.

— KAT! crie Vicky, qui se lève d'un bond pour ensuite foncer vers elle.

Caroline tourne la tête vers le comptoir de la réception. Ayant entendu le cri de Vicky, la réceptionniste envoie un sourire en direction de ses clientes et hoche la tête, comme pour leur dire: «Juste dans une autre chambre... Je vous l'avais bien dit!» Caroline la remercie de la main avant de courir vers ses amies.

— La buanderie ou le placard à balais? interroge Vicky en arrivant à la hauteur de Katia, qui semble meurtrie.

— Ni l'un ni l'autre. Je veux des aspirines! Et des lunettes de soleil..., requiert-elle en continuant rapidement son chemin en direction de leur module.

Vicky accélère le pas pour la suivre, pendant que Caroline se fait accoster par une fille rouquine qui était avec eux la veille. Elle échange quelques mots avec cette dernière, et trottine de nouveau pour rattraper ses amies.

— Qu'est-ce qu'elle voulait ? lui demande Vicky.

— Elle voulait juste savoir si je savais si le buffet était ouvert ou non, répond vaguement Caro.

Puis elle se tourne vers Katia, le regard insistant, curieuse qu'elle leur révèle enfin où elle a passé la nuit.

JOUR 7
VOL AQ993
CANCÚN–MONTRÉAL
15 H 49

— Tu ne te souviens de vraiment rien ?

— Rien, je vous l'ai dit cent fois ! Je ne me souviens de presque rien !

— «Presque rien», ce n'est pas rien du tout, ça...

— Tu ne te rappelles même pas les avoir vus au bar, à l'entrée ?

— Oui, un peu, c'est flou...

— Tu ne peux pas te réveiller dans une chambre que tu ne connais pas, sans te souvenir de rien ! s'écrie Caroline, scandalisée. Tu penses qu'ils ont mis de la «drogue du viol» dans ton verre ?

— J'y ai pensé, mais je ne crois pas. Il paraît que ça rend vraiment malade, le GHB, le lendemain. Je «*feelais*» mal, mais pas tant que ça. Je n'ai pas vomi. Et disons que c'est assez complexe, de nos jours, de passer de la drogue à la douane. Tu t'es fait interroger pendant plus d'une heure pour un coupe-ongle, imagine...

— Qu'est-ce qu'ils t'ont dit, au réveil ?

— J'étais couchée avec eux, dans leur lit *king*. Calvince ! J'étais en petite culotte, mais avec ma camisole. Ils ont juste dit : « Ouin, on a abusé des bonnes choses, hier ! » Je n'ai rien répondu, j'ai attrapé mes trucs et je suis partie...

— Ils t'ont peut-être violée ? Faut que t'appelles la police en arrivant au Québec. Est-ce qu'on a leur identité, je veux dire leurs noms au complet ? réfléchit Caroline, bouleversée pour son amie.

— Bien non, ils ne m'ont pas violée quand même..., la rassure Katia, évasive, en détournant le regard.

— Comment le sais-tu ?

— Je sais...

Katia, l'air triste, plonge ses grands yeux dans ceux de son amie avant de détacher subitement son regard pour fixer l'allée centrale. Son état d'esprit échappe à ses copines. Vicky sourcille en direction de Caroline. Elle soupçonne leur amie de ne pas leur dévoiler toute la vérité. Katia avoue finalement :

— Ah et puis, tant pis ! Écoutez, au point où on en est par rapport à ce maudit voyage-là, je peux bien tout vous dire... Ce n'est pas tout à fait vrai que je ne me souviens de rien du tout...

— Hein?

— Qu'est-ce que tu veux dire, Kat?

JOUR 4

PLAYA LUNA RESORT
CANCÚN, MEXIQUE

— Téquila! beugle haut et fort Katia, en levant de nouveau son verre en direction de Claude.

— T'es tellement belle! déclare affectueusement Carole, sans aucune raison, en caressant doucement le côté du visage de Katia du revers de la main.

— Toi, che te trouve fine! Faut vraiment qu'on se revoie au Québec à notre retour, lui confie Katia, complètement ivre, en commandant illico trois autres téquilas.

Les deux filles prient la serveuse de monter légèrement le volume pour danser sur un merengue. Elles tentent quelques pas ensemble, très collées, sous le regard amusé de Claude, un peu avachi sur son tabouret. Leur danse ressemble plutôt à un mélange de valse rapide et de piétinements aléatoires.

— OUUUUH! hurle Katia, un bras en l'air en tenant sa partenaire avec mollesse, sa main libre étant posée sur les fesses de la quinquagénaire.

— T'es belle, répète Carole, les yeux mi-clos, sa tête maintenant au creux de l'épaule de Katia.

— Hé, les filles ! On se prend de la téquila et on va à la chambre ? propose Claude, en les lorgnant, l'air pervers.

— *Yes!* crie Katia, qui délaisse sa partenaire pour se diriger vers le bar.

JOUR 7

VOL AQ993
CANCÚN–MONTRÉAL
15 H 58

Les deux filles la dévisagent pendant un long moment sans rien dire, la bouche ouverte. Nouveau silence. Un autre ange passe.

— Bien là ! Regardez-moi pas de même ! J'étais soûle, c'est tout... Fin du sujet.

— Qu'est-ce qui s'est passé, exactement ? T'as réellement euh... de façon consentante... avec eux autres ?

— Si vous permettez, je vais vous épargner les détails...

Cachant mal leur stupéfaction devant cette révélation-choc, elles détournent en même temps le regard pour ainsi signifier à Katia qu'il n'y a rien là, dans le fond. Après tout, elles ne sont pas là pour la juger. Pour dissiper le malaise, Vicky engage la conversation sur un autre sujet et parle de sa propre situation.

— On fait toutes des choses bizarres sans trop savoir pourquoi dans la vie... Moi, par exemple, avoir su, j'aurais jamais couché avec ce gros dégueulasse-là! Quand je l'ai vu arriver au mariage de sa cousine, c'en était trop!

— Vraiment pas gêné, le Wis-DU-CON-sin, hein!

— Trou de cul de profiteur, tu veux dire!

JOUR 5

PLAYA LUNA RESORT
CANCÚN, MEXIQUE

Caroline revient seule le long de la plage, après s'être offert une promenade dans les petits marchés locaux, question de pouvoir ramener des souvenirs pour son fils et son *chum*. Elle installe sa serviette sur une chaise vacante, près de ses amies.

Celles-ci la bombardent de questions:

— T'es partie longtemps! T'as acheté des choses?

— Oui, des petits souvenirs pour mon fils, mon *chum*. Rien de très original. On retrouve toujours les mêmes trucs partout.

— Où les as-tu achetés?

— Il y a plein de petits marchés par là, à droite... C'est à quelle heure, le fameux mariage, vous pensez? s'informe-t-elle, intéressée.

— Je ne sais pas.

— Probablement vers la fin de l'après-midi, prétend Vicky, qui tend le cou pour voir en direction de la plage, là où un chapiteau blanc a été dressé le matin même.

— Qui est la fille qui se marie ? s'informe Katia auprès de Vicky, qui semble au courant.

— La petite un peu rondelette qui est toujours au cours de danse avec son *chum* en fin d'après-midi. Ils se tiennent habituellement à l'avant, près du prof, à gauche.

— Ça ne me dit rien.

— On va pouvoir observer la cérémonie, vous croyez ? demande Caroline, curieuse d'en voir le déroulement.

— Ma cousine Jasmine a été témoin d'un mariage cet automne, dans le Sud, et elle me disait que tout le monde pouvait voir la fête, explique Vicky.

— Elle avait trouvé ça comment ?

— Horrible ! Avant ce jour, c'était son rêve de se marier sur une plage avec son *chum*. Elle m'a raconté que, durant la célébration, des Ontariens vraiment soûls ont crié toutes sortes de niaiseries et ont pris ensuite la direction du bar, pour courir tout autour flambant nus ! Imaginez ! Tu mets des mois à préparer ce moment-là et, le jour venu, des inconnus le gâchent complètement. Ça lui a coupé l'envie de se marier dans le Sud ! explique Vicky.

— Jasmine, c'est ta cousine qui est enceinte, non ?

— Oui !

— Ah ! voilà la mariée qui arrive ! s'excite Caroline, en la voyant passer en robe blanche de l'autre côté de la piscine.

— Déjà ? On s'approche plus près, pour bien voir ?

— Oui !

Les filles prennent place à une petite table, non loin de l'endroit où aura lieu la cérémonie ; elles se regardent, fébriles d'assister à un évènement de cette envergure.

Des chaises ont été placées devant le chapiteau érigé sur l'immense dalle de béton du complexe hôtelier, juste devant la plage. Des invités déjà assis tournent la tête de tous les côtés, le cou allongé, l'air de se demander quand débutera officiellement le mariage. Vicky ne peut s'empêcher de chercher Dawson du regard. La mariée, légèrement en retrait, discute avec sa famille ; elle attend le moment opportun pour commencer la marche nuptiale par la petite allée, entre les chaises. Le « prêtre » avance vers l'avant. Dawson apparaît à son tour sur le chemin qui longe la piscine.

— Non ! Cibole ! Dites-moi que je rêve ? lance Vicky en le voyant arriver à la hauteur des chaises.

— J'avoue que c'est complètement ridicule !

— Non, mais... Coudonc ! Elle aussi, c'est une charrue ! crie presque Caroline.

Dawson avance fièrement avec Sharon à son bras, la plantureuse Québécoise qui embrassait le «voisin» lors de la deuxième soirée au bar de l'hôtel. Celle-ci porte une splendide robe fuchsia, comme si elle l'avait mise dans sa valise en sachant qu'elle participerait à un mariage.

— Il a vraiment l'intention de se taper tout ce qui bouge au Mexique, lui! Gros dégueulasse! Je suis humiliée!

— Voyons donc! Il était avec une autre fille, hier, au bar. C'est quoi? Il l'a rencontrée ce matin au buffet? présume Caroline, en analysant l'espace-temps réduit lui ayant permis de fraterniser avec cette nouvelle candidate.

— Je me sens tellement conne! lâche Vicky, en se prenant la tête à deux mains. Ça me prend un verre, moi! ajoute-t-elle en se dirigeant vers le bar.

Le prêtre souligne de la main que la célébration peut commencer. À ce geste, les filles reviennent du bar et observent la scène en silence. Vicky sirote rageusement son verre, fixant sans cesse l'homme qui la fait se sentir misérable. Sur une musique de marche nuptiale mi-traditionnelle, mi-mexicaine, la mariée rejoint sereinement son futur époux à l'avant du chapiteau.

La courte cérémonie s'est déroulée sans anicroche, mis à part les quelques touristes au bar de la plage qui s'envoyaient de bonnes rasades ou ceux qui revenaient de la plage dans des éclats de rire bruyants.

— Je pense qu'ici les gens soûls restent un incontournable pour les mariages! déclare Caroline, en hochant la tête.

— Dans le fond, ça remplace le «mononcle» à moustache toujours trop paqueté qu'on rencontre dans chaque famille! blague à son tour Katia.

Lorsque les filles retournent près de la piscine, Caroline déclare, en apercevant leur chaise vide:

— Merde, on s'est fait piquer nos serviettes!

— Voyons! C'est quoi le rapport? fait Katia, en explorant minutieusement les alentours en croyant peut-être les retrouver derrière des chaises voisines.

— C'est sûrement une erreur, quelqu'un s'est trompé... Mais on va quand même devoir débourser 60$ pour en avoir d'autres.

— Non, non, non!

— C'est ce qu'ils nous ont dit à notre arrivée. On a même signé un document, tu t'en souviens? panique un peu Vicky.

— On va s'en trouver d'autres sur-le-champ. Eille, je ne paye pas ça, certain, déclare Katia en scrutant les alentours.

— Les vacanciers sont tous allongés dessus. Ce ne sera pas évident!

— Fais-moi confiance. On se prend un autre verre et on part en mission, d'accord, les filles ? propose Katia, l'air mesquin.

En déambulant dans les sentiers reliant les divers modules à la piscine, les filles rigolent en questionnant Katia :

— C'est quoi, ton super plan ?

Elle ne répond pas tout de suite, guettant si quelqu'un n'arrive pas par le chemin. Comme personne ne semble venir, Katia enjambe rapidement le parterre qui les sépare des balcons des chambres du premier étage. Elle s'assure que les rideaux de la porte-fenêtre sont bien fermés avant de saisir rapidement la serviette de plage bleue qui séchait sur la rampe. Elle revient vers les filles au pas de course en renversant un peu son margarita au sol.

— Et une serviette pour moi !

— OK ! Si je comprends bien, on subtilise des serviettes de plage sur les balcons ! réalise Vicky, amusée par la tactique de son amie.

— Pas question de les payer ! On s'est fait voler, nous aussi !

— Il y en a une autre, là-bas ! repère Caroline en scrutant les balcons du voisinage.

Des promeneurs pressés marchent dans leur direction ; les filles font mine d'avancer à petits pas. Après leur passage, Katia lance :

— Vas-y ! À toi de jouer ! La voie est libre !

Caroline, qui a peu l'âme d'une délinquante, pouffe comme une gamine en franchissant à son tour le jardinet. Elle attrape la serviette oubliée sur la terrasse et revient rapidement vers ses amies toujours en ricanant nerveusement. Katia la félicite :

— Ni vue ni connue !

— Franchement ! Je ne peux pas croire qu'on fait ça !

— On est vraiment connes ! affirme Vicky, en s'assurant que personne autour n'a vu la scène. À mon tour, maintenant…

Les filles continuent leur promenade, à la recherche d'une autre serviette de plage abandonnée.

— Là-bas ! s'enthousiasme Katia, en désignant un balcon où sèchent une serviette et un maillot de bain d'homme.

— Je ne laisserai plus jamais ma serviette sur le balcon ! déclare Caroline, en riant de nouveau.

Lorsqu'elles arrivent à la hauteur du bien convoité, Katia avertit Vicky :

— Attention, quelqu'un vient par ici…

Les filles s'immobilisent et, avec leur appareil fermé, «prennent» des photos des fleurs qui bordent le jardin. Vicky, qui analyse la cible à atteindre, leur dit:

— Eille! On dirait le maillot de Dawson, ça?

— Je ne me souviens pas de ce détail, avoue Caroline.

— Oui! J'en suis certaine! Ah ben! Ah ben!

Silencieuse, Vicky réfléchit pendant que les vacanciers les saluent poliment.

— Attendez-moi ici! J'ai une super idée! déclare-t-elle. Et elle se dirige vers la piscine en courant.

— Quoi? fait Katia, amusée à outrance de la voir planifier un coup excitant à son tour.

Mais celle-ci, déjà loin, ne répond pas. En attendant son retour, les filles décident de prendre réellement des photos pour passer le temps.

Vicky revient quelques minutes plus tard, en cachant un flacon derrière son dos. Sans rien expliquer à personne, elle tend son verre à Caroline, puis déclare tout à fait solennellement:

— Couvrez-moi, j'ai deux missions à accomplir!

Elle enjambe le jardinet pour se diriger à pas de loup vers le balcon de Dawson. Dissimulées derrière un arbre, les filles voient Vicky prendre le maillot dans ses mains. Elle semble en enduire la fourche du produit contenu dans le flacon qu'elle tenait dans sa main.

— C'est quoi ? s'interroge Caroline en pivotant la tête vers Katia.

— Je ne vois pas bien...

Une fois sa tâche terminée, Vicky agrippe la serviette convoitée. Elle fait ensuite demi-tour et s'élance vers ses amies en gloussant.

— Hé! les interpelle un employé de l'hôtel qui apparaît au bout du chemin.

— Vite, crie Vicky.

Et les filles déguerpissent par le chemin opposé pour échapper à l'homme en question.

En ouvrant la porte de leur chambre à toute vitesse, les filles, essoufflées, rient de s'être presque fait prendre à voler des serviettes de plage. Vicky, le visage espiègle, étend la main pour montrer à ses amies ce avec quoi elle a enduit l'intérieur de la fourche du short de Dawson.

— T'es malade! C'est trop drôle!

Elle secoue de gauche à droite une petite bouteille de Tabasco bien piquant.

— Il veut être le chaud lapin du Mexique, il va avoir chaud, justement.

— Il va penser qu'il a attrapé la chlamydia en baisant avec toutes les touristes de l'hôtel!

— Il aura la graine brûlante!

—Tu me demandais, Katia, avant le départ, ce qui pouvait arriver comme «pépin» à un maillot de bain, en voyage, et qui pouvait justifier que j'en apporte trois de surplus... Eh bien, tu en as un exemple! plaisante Vicky, fière de son coup.

JOUR 7

VOL AQ993
CANCÚN–MONTRÉAL
16 H 04

—C'était trop *hot* comme vengeance! commente Katia.

—Ouin, mais j'avoue qu'après coup, je l'ai regretté un peu en me disant: «J'espère ne pas trop le faire souffrir, quand même.»

—C'est ce qu'on appelle avoir le fond de short «*muy caliente*[9]»!

—Ç'a dû lui gratouiller les rossignols un peu, en effet! présume Caroline. En parlant de «*caliente*», continue-t-elle, il faisait tellement chaud cet après-midi-là...

—On était confortables, à moitié plongées dans l'eau, au bar de la piscine, hein?

—Mets-en! La grosse vie! J'ai décroché en masse cet après-midi-là.

---

9.   Très chaud!

— C'est juste plate qu'on se cachait de tout le monde! se souvient Katia.

— Et que l'on soit sorties de la piscine pour des raisons d'hygiène, ouache..., souligne Vicky, qui en frissonne encore de dégoût.

JOUR 5

PLAYA LUNA RESORT
CANCÚN, MEXIQUE

Katia revient vers ses compagnes de voyage, qui se prélassent dans la piscine. Assises sur des tabourets vissés au fond, elles se retrouvent donc submergées jusqu'à la taille tout en étant accoudées au bar. Elles profitent de la fin de l'après-midi ensoleillé, un *bloody mary* à la main. Katia saute à l'eau et nage vers elles, en exécutant des mouvements rotatoires avec ses mains.

— Mmmm! Bon choix de cocktails! les complimente Katia, le sourire fendu jusqu'aux oreilles.

— Mon Dieu! Ç'a l'air de bien aller, toi!

— Qui est-ce qui a un rendez-vous doux et clandestin ce soir pour souper? Bibi, qui va s'habiller super *sexy*!

— Il n'était pas trop choqué pour l'autre soir?

— Non, il ne pouvait pas rester longtemps ce soir-là, de toute façon. Il ne danse pas au spectacle de fin de soirée: son seul soir de congé depuis deux semaines.

— Qu'est-ce que vous allez faire ?

— On va souper en ville, à l'abri des regards indiscrets. Ensuite, probablement qu'on va se cacher dans un bosquet pour baiser. Du moins, j'espère bien !

— Où ? s'intéresse Caroline, compte tenu des conditions strictes liées au statut d'employé de Fernando.

— Je ne sais pas, moi. C'est son territoire, pas le mien !

— Eille, c'est le voisin qui s'amène là-bas ! crie presque Vicky, qui en est encore au stade d'évaluer son comportement envers elle.

Celui-ci se dirige vers la plage avec son ami. Comme le sentier le fait passer tout près du bar où elles se trouvent, il regarde par hasard dans leur direction. En les apercevant, il s'empresse de détourner la tête avant de continuer sa route, comme si de rien n'était.

— Vous avez vu comment il semble super mal à l'aise ?

— Oui, cette fois-ci, j'avoue que c'est évident qu'il nous a vues, se désole Caro, honnête.

— Je vous le dis, il a probablement déjà écrit un texto à Christian pour lui annoncer que je suis une pétasse. Je n'aurais jamais dû faire ça. Pour ce que ç'a donné, en plus.

— Ah non ! Cachez-moi ! rugit Katia, qui se penche de côté sur son siège de béton.

Elle tente de se camoufler le visage derrière un long vase garni de pailles. Claude et Carole s'en vont également à la plage par le sentier qui jouxte la piscine, tout souriant, tenant chacun un gros thermos à café, probablement rempli de bière. Katia maintient le contenant droit devant son visage afin de suivre d'un œil discret leur trajectoire, ceux-ci lui faisant maintenant dos.

— Coudonc, pourquoi tu te caches ainsi? Tu t'es juste endormie dans leur chambre, ce n'est pas un drame, questionne Caroline, perplexe.

— J'ai pas envie de leur parler, c'est tout...

— De toute façon, ils ont regardé dans notre direction. Ils doivent bien se douter que la troisième personne qui est avec nous, celle dissimulée derrière le vase de pailles, c'est toi, voyons! lance Vicky, rationnelle.

— Je les trouve vraiment louches, avoue Caroline, les observant s'éloigner de l'autre côté de la piscine.

— Ils sont partis? s'assure Katia, qui tient maintenant dans son autre main, toujours à la hauteur de son visage, une cruche remplie de jus de citron.

— Toi, t'es pas louche pantoute!

— Oui, ils sont rendus au bar de la plage. On aperçoit juste l'arrière de leur tête, mais de loin.

— On devrait rester dans la chambre, tant qu'à vouloir éviter tout le monde! rigole Caroline, en faisant référence au «voisin» qui est passé plus tôt.

— Bon, la pétasse maintenant ! murmure Vicky, distinguant Sharon, au loin, qui déambule vers la piscine.

Rendue à leur hauteur, elle s'immobilise bien droite, la poitrine sortie, pour les saluer tout bonnement, les mains sur les hanches.

— ALLLLO ! Ça va, les filles ?

— Ouais...

— Fait beau, hein !

— Beau comme c'est supposé être au Mexique, là ! commente Vicky, sur un ton tout sauf emballé, dessinant des demi-cercles dans l'eau avec ses mains.

S'ensuit un malaise évident. Sharon reste plantée là un instant, confuse quant à la raison justifiant l'attitude bête de Vicky.

— C'est le *fun* le petit bar dans l'eau, hein ? envoiet-elle pour alimenter la conversation.

— Hum...

— Comment va Dawson ? lance Vicky, un ton accusateur dans la voix.

— Je ne sais pas ! Je le cherche, justement. Vous l'avez vu ?

— Non. Bonne chance pour le trouver. Il se cache souvent ! rajoute mesquinement Vicky.

— Pourquoi tu dis ça ?

— Disons que je le connais TRÈS bien !

— Ah bon..., répond piteusement Sharon, incertaine de comprendre la signification du commentaire flou de son interlocutrice.

Les filles épient partout sauf dans sa direction. Katia fait machinalement tourner la paille dans son cocktail, Vicky observe toujours l'ondulation de l'eau provoquée par ses mouvements et Caroline regarde en direction opposée, comme si les palmiers la captivaient outre mesure.

— Bon bien... à plus ! fait la fille, impuissante, en s'éloignant.

Les trois têtes se retournent en même temps pour scruter le balancement de gauche à droite de son postérieur bien rebondi. Celui-ci est à peine recouvert de son micro maillot de bain à l'effigie de la marque de bière Corona.

— Cibole ! Elle aurait dû ne pas en mettre, tant qu'à y être. On lui voit le derrière quasiment au complet ! exagère jalousement Vicky lorsque celle-ci se trouve plus loin.

— Elle ne t'a pas vue partir avec Dawson le deuxième soir, sinon elle ne serait pas venue nous demander ça directement ! déclare Caroline, convaincue que dans le cas contraire, cette dernière n'aurait assurément pas agi ainsi.

— *Anyway*... On s'entend qu'elle n'a pas l'air vite vite sur ses patins, la belle Sharon ! Bon, elle vient de rejoindre le couple d'échangistes au bar ! Elle va peut-être se taper une soirée de sexe torride avec eux, maintenant ! Dawson économiserait du temps en se farcissant trois personnes en même temps ! Il aurait donc une plage horaire de libre à son agenda pour une fille supplémentaire ! exagère Vicky, toujours amère.

— «Plage» horaire ; dans le contexte de vacances, j'adore le jeu de mots ! Bravo, je te donne trois points, souligne Caroline.

— Merci !

— Tant qu'elle laisse mon danseur latino tranquille, la belle Sharon ! déclare Katia, le regard menaçant.

— Eille ! Il s'en passe des affaires, assises au bar de la piscine…

— Avez-vous vu la *gang* de jeunes, là-bas ? Ils calent de la bière depuis presque une heure avec cette espèce d'entonnoir en plastique. Ils vont être malades !

Les filles observent la bande de fêtards qui deviennent de plus en plus bruyants, tous agglutinés sur le bord de la piscine, à l'opposé de là où elles se trouvent. Elles sont interrompues dans leur séance d'espionnage par un individu qui interpelle l'une d'entre elles.

— ALLO KAT ! crie un gars, avant de plonger littéralement dans l'eau pour venir les rejoindre à la nage.

— Bon ! Il ne manquait plus que lui : mon grand ami que je ne connais pas ! plaisante Katia, les bras en l'air, en voyant le grand Québécois devenu copain avec elle le premier soir, sans qu'elle ne se rappelle de lui.

— C'est le temps ou jamais d'investiguer sur lui...

En arrivant derrière les filles, il enlace Katia par la taille. Il secoue la tête près d'elle pour lui mouiller le dos. Son aisance est telle qu'on dirait vraiment un amoureux faisant une blague à sa petite amie.

— Bien voyons! s'efforce de rire Katia, en se dégageant un peu des mains de cet homme qui lui est toujours inconnu.

Vicky tente d'en savoir plus à son sujet :

— Tu sais, l'inconnu, notre amie ici présente est restée très discrète sur la façon dont vous vous êtes rencontrés le premier soir et on est bien curieuses d'en savoir plus. On aimerait que tu nous racontes ce qui s'est passé entre vous deux...

— Franchement! C'est privé! réagit le gars, presque gêné. Ce fut, comment dire... très surprenant, disons! Je dirais même : inédit ; qu'en penses-tu? ajoute celui-ci, avant de décocher un petit coup de coude à Katia, comme si elle était de connivence avec lui.

— Inédit comment, disons? reprend celle-ci, désireuse elle aussi d'en savoir plus, étant donné son trou noir.

— Arrête de niaiser! Elle est tout le temps de même? demande-t-il en direction des filles.

— Bien...

— Bon, on va régler quelque chose, l'étranger : je ne me souviens de rien, avoue tout bonnement Katia, en prenant une gorgée de son verre.

— Est tellement trop tordante, votre amie ! Tu ne lâches jamais le morceau, hein ?

— Je te jure, je ne me souviens de rien. Même pas de ton nom !

— Me semble, oui ! Tsé, le cave qui se fait niaiser par les filles. Eille, je ne suis pas naïf, vous ne m'aurez pas !

Découragée, Katia abandonne. Le gars l'embrasse sur une joue et déclare :

— À plus tard, ma belle ! Il fait beau, profitez-en !

Il sort de la piscine en sifflotant.

— Je capote ! Il est bouché, lui !

— Qu'est-ce que tu lui as fait, cibole ?

— Je ne le sais pas ! Je vous le jure que je ne me souviens de rien !

— Ouin..., doute Caroline en raison des allusions à peine voilées de l'inconnu.

— Je le jure ! promet Katia, qui semble vraiment sincère et, surtout, totalement désarçonnée.

En réfléchissant, les filles focalisent de nouveau leur attention sur le groupe de fêtards pas très loin d'elles.

Elles observent les gars qui, à tour de rôle, entrent dans la piscine quelques secondes pour en ressortir aussitôt après.

— À boire verre de bière par-dessus verre de bière, ils doivent bien avoir envie un moment donné, s'imagine Caroline.

Avant que les filles n'aient le temps de donner suite à son commentaire, une femme entre dans l'eau en s'écriant :

— Ah! mon Dieu! L'eau est vraiment chaude!

Les trois filles se regardent, écœurées, avant d'agripper leur verre pour sortir de la piscine en troisième vitesse.

— AAAARRRK!

JOUR 7
VOL AQ993
CANCÚN–MONTRÉAL
16 H 12

— Les gars allaient faire pipi chacun leur tour dans l'eau, c'est certain. Vraiment répugnant!

— Plein de gens font ça, j'en suis certaine!

— Vous voyez, à se rappeler les souvenirs de ce superbe après-midi passé à nous rafraîchir dans la piscine, on peut affirmer qu'il n'y a pas eu juste des moments déplorables dans notre voyage, ironise Caroline, contente de mettre en évidence un moment cocasse, mais pas si dramatique.

— Bien oui. Rire d'un gars à qui j'ai fait une passe de sexe inédite dont je ne me souviens pas, je trouve ça assez désolant, merci! s'offense Katia.

— Superbe après-midi? Caro, est-ce que tu me niaises, là? s'offusque à son tour Vicky, l'air vraiment sérieux.

— Mon Dieu! Quoi?

— C'est cet après-midi-là que..., débute Katia, un demi-sourire sur le visage, priant son amie du regard de se rappeler un évènement qui semble malheureux pour Vicky.

— Cet après-midi-là que quoi? ne se souvient pas du tout Caroline.

Vicky soupire et saisit un sac sous son siège. Elle farfouille à l'intérieur, et avec un geste agressif en ressort une photo insérée dans un cadre cartonné, sur lequel on peut lire: «*I love Cancún*». Elle brandit le cliché sous le nez de Caroline, en serrant les lèvres.

— L'après-midi de ÇA!

— Oh oui, c'est vrai. Excuse-moi. Je suis comme toute mêlée dans les jours, se désole Caroline avant de se tourner vers le hublot.

Elle se retient de rire de toutes ses forces. Devant les images qui défilent dans sa tête, elle finit par ne plus pouvoir se retenir. Elle pouffe, la main devant la bouche, comme si cela diminuait l'impact de sa vive réaction. Katia, heureuse que son amie soit la première à flancher, éclate à son tour d'un rire bruyant.

— C'est PAS drôle! lance Vicky, en zieutant de nouveau le cliché dans sa main.

Des voyageurs assis devant elles se retournent, ennuyés par leurs éclats de rire sonores. Caroline ajoute à voix basse :

— On est désolées...

— Non, mais avoue que c'est la situation la plus burlesque du monde! Après coup, bien sûr...

Vicky, consciente que c'était tout de même assez désopilant, et surtout cocasse pour ceux qui y assistaient, esquisse finalement un léger sourire.

— Et naturellement, il fallait bien que ça arrive à MOI!

JOUR 5
PLAYA LUNA RESORT
CANCÚN, MEXIQUE

— Je sens ma peau dégueulasse d'avoir macéré dans le pipi chaud comme ça toute la journée!

— Tu m'écœures, Kat! fait Vicky, quasi en train de vomir de dégoût.

Le trio prend bien soin de ne pas oublier leurs serviettes déposées pêle-mêle sur une même chaise, près de la piscine, et s'en va clopin-clopant vers le chemin menant à la plage.

— On passe loin du bar, je ne veux pas voir le couple de cochons..., les prie Katia.

Elle n'hésite pas à se diriger vers le chemin qui donne accès à la plage à l'extrémité dudit bar, donc complètement à la limite du complexe hôtelier.

— Couple de cochons! C'est pour ça, les CC! s'amuse Vicky.

— Comment sais-tu qu'ils sont si « cochons »?

— Je ne sais pas... Ils m'ont proposé un *trip* à trois, c'est un petit indice. Caro, arrête de poser des questions tout le temps.

— Mais tu as juste dormi là...

— Par ici, leur indique Katia, en désignant la direction à prendre, sans répondre à la question de son amie, qui semble encore chercher des poux dans toute cette histoire.

Les filles continuent de marcher en silence, toujours guidées par Katia, qui s'engage maintenant entre deux rangées de palmiers, dans une zone où le terrain s'avère légèrement escarpé.

— Bien là! Pas obligée de passer par Chibougamau pour aller sur la plage, quand même! exagère Vicky, qui juge le détour un peu laborieux.

— *No problemo!* On arrive. Regardez, c'est le muret de pierres qu'on avait sauté pour ne pas se faire prendre, Fernando et moi, explique Katia, comme s'il s'agissait d'un lieu touristique en soi.

— Parle-moi d'une attraction mexicaine à ne pas manquer, toi! la taquine Caroline, qui installe sa serviette sur une chaise de plage libre.

— Un lieu culte de villégiature, quoi! poursuit Vicky, en approchant une autre chaise sous le parasol en feuilles de palmier. On est loin en maudit.

— Pas tant que ça! On devient paresseuses à force de ne rien faire, ici.

Elles entendent soudainement quelqu'un non loin qui les interpelle.

— ¡Señorita![10]

Elles se retournent pour voir qui appelle, et elles pouffent de rire. Le vendeur de noix de coco accourt dans leur direction, en brandissant bien haut dans les airs une noix de coco fraîche: il se souvient avoir réalisé des affaires en or avec Caroline, il y a quelques jours. Naturellement, c'est elle qu'il vise:

— ¡Hola, Señorita! ¿Desea coco?[11]

— ¡No, gracias![12]

— ¡Si! ¡Si! insiste le vendeur, qui s'apprête à la couper, malgré le refus catégorique de sa cliente.

---

10. Mademoiselle!
11. Bonjour, mademoiselle! Vous désirez une noix de coco?
12. Non, merci!

—*¡No! ¡No!* répète patiemment Caroline.

—*¡Si! ¡Si!*

—*¡No!*

—Voyons ! Il ne comprend pas vite, lui ! On dirait une chanson espagnole sur «*repeat*», votre affaire ! s'impatiente presque Vicky.

Caroline se place devant le vendeur itinérant en désignant la noix de sa main. De l'autre, elle se prend le ventre pour lui signifier qu'elle a été très malade à cause des noix, justement. L'homme fait mine de ne pas saisir ce qu'elle tente de lui dire.

—Vous devriez jouer aux phrases mimées ensemble. Premier mot : noix de «gastro», plaisante Vicky en écho à la gestuelle de son amie, qui semble vraiment jouer à ce genre de jeu.

—Deuxième mot : flu-dans-le-bain ! Vas-y, Caro. Mime-lui la scène ! T'es capable, ajoute Katia, pince-sans-rire.

—Franchement… Bon, «mal de ventre avec ça», explique simplement Caroline, en refaisant les mêmes gestes.

—*¡No!* s'oppose-t-il de plus belle, présumant ainsi que ce n'est pas la noix de coco qui a occasionné son mal.

—*¡Si!* approuve de nouveau Caro, en se rassoyant sur sa chaise.

—*¡No!*

— Et la chanson à répondre est repartie! commente Vicky, un bras en l'air.

La mine déconfite, le vendeur tourne finalement les talons, désappointé que sa « cliente » ne soit pas intéressée. Une autre vendeuse s'approche d'eux en disant :

— ¡ Trenza ![13]

Comme les filles ne saisissent pas son propos, la Mexicaine leur présente une mèche de cheveux avec des modèles de tresses.

— ¡ No, gracias ! Mon amie en a déjà assez comme ça ! répond Katia, qui passe rapidement de l'espagnol au français pour faire rire les filles.

— Maususses de tresses à marde !

— C'est fou d'achaler le monde de même toute la journée ! Qu'est-ce qu'il tient dans ses bras, lui, là-bas ? se demande Vicky en pointant un Mexicain, au loin, qui semble attirer beaucoup de curieux sur la plage.

— On va voir ! s'excite Caroline.

En moins de deux, elle déserte sa chaise pour se rendre près de l'homme. Vicky la suit. Katia attrape l'appareil photo de Caroline que celle-ci a laissé choir sur sa chaise. Lorsqu'elles arrivent près de l'homme, chacune

---

13. Tresses !

constate qu'un iguane géant orangé et noir est posé sur son bras.

— *Wow*, c'est donc bien exotique! lance Vicky, réjouie. T'as une caméra?

— Oui!

Lorsqu'elle ouvre son appareil pour immortaliser l'animal, l'homme fait «non» de la tête en sortant son propre appareil photo. Il pointe Vicky et lui propose de se faire prendre en photo avec elle.

— *How much?* s'enquiert Caroline, soucieuse de ne pas se faire arnaquer.

Le Mexicain met ses dix doigts en éventail en guise de réponse.

— Bah! On le fait. Dix dollars, ce n'est pas cher!

— Non, merci pour moi! Les bibittes pas de poil, ce n'est pas mon genre! refuse Caroline, qui se tient tout de même loin de l'animal.

— Moi non plus! Ça m'écoeure...

— Vous êtes trouillardes! les nargue Vicky.

Elle s'approche de l'homme, l'air interrogateur, pour qu'il la guide. Il lui fait signe de s'allonger sur le flanc dans le sable, appuyée sur son coude gauche. Vicky s'exécute.

— *Sexy* pitoune! rigolent les filles en taquinant leur amie, qui prend vraiment la pose à cœur.

Puis le Mexicain dépose l'immense iguane sur l'autre flanc de Vicky, en lui demandant de tenir le dos de l'animal avec sa main droite.

— *My god!* Ça fait vraiment rockeuse de plage! C'est *cool*!

Il s'éloigne légèrement et prend un premier cliché, qu'il regarde; il s'approche quelque peu de sa cible et prend une autre photo. Soudainement, l'iguane avance sa patte de devant, qui se trouve ainsi près du visage de Vicky. Il «rampe» encore un tantinet et se juche ainsi très près de son cou.

— Il avance sur moi! crie Vicky, presque hystérique, en ayant tout à coup très peur de l'animal.

Le lézard géant approche encore plus près de son visage et effectue un petit mouvement sec avec sa langue pointue, afin de pouvoir happer sa boucle d'oreille.

— AAAHH! IL VA ME MORDRE! crie plus fort Vicky, qui ne comprend pas l'intention de la bête.

Comme elle s'agite, la queue de l'animal glisse sur le ventre de Vicky pour s'échouer doucement sur le sable. Sa gueule demeure toutefois bien accrochée à sa boucle.

— *¡Tranquillo! ¡Tranquillo!*[14] la met en garde le Mexicain pour qu'elle ne blesse pas l'animal.

_____

14. Tranquille! Tranquille!

—FAITES DE QUOI! beugle de nouveau Vicky en direction de ses amies, qui restent en plan, prises de panique elles aussi.

Un groupe de touristes inquiets s'avance près de la scène, interpellés par les cris de détresse de Vicky. L'iguane ne bouge plus, mais il tient la boucle d'oreille fermement dans sa bouche, immobile comme une statue. Le lobe d'oreille de Vicky est soumis à une forte extension ; tout porte à croire qu'elle a sûrement mal.

—Il va t'aider. Bouge pas, là! lui conseille Caroline, compatissante.

Le Mexicain, qui semble confus, essaie désespérément d'ouvrir la bouche de la bête à l'aide d'un bout de bois. L'iguane, toujours dans une pose statique, ne bronche pas. C'est alors que Vicky se décide à libérer sa main gauche, s'abaissant ainsi sur son flanc. De sa main droite, elle détache doucement le papillon derrière son oreille. L'homme comprend qu'elle défait sa boucle. Il empoigne l'animal aussitôt la manœuvre complétée. Vicky soupire de soulagement et se lève d'un bond. De ses paumes, elle essuie le sable qui lui couvre le corps. Le petit groupe de curieux se disperse tranquillement.

—Calvaire! rage encore Vicky sous l'émotion du moment.

—Eille! C'est dangereux, ça! réagit Caroline, aussi traumatisée que son amie. Ça peut avoir la rage, cette bibitte-là!

Les filles regagnent leur chaise en suivant l'homme des yeux. Ce dernier tente tout bonnement de recruter de nouveaux clients pour prendre d'autres photos exotiques. Tous déclinent catégoriquement sa proposition, choqués de ce qui vient de se produire.

— Ayoye! se plaint Vicky, dépassée par les évène-ments, tout en se frottant le lobe d'oreille.

— Tu as mal? présume Katia, avec empathie.

— Non, non. Je suis juste sous le choc, c'est tout, rectifie celle-ci.

Une heure après l'incident, voire quelques «*piña Canada*» plus tard, les filles s'amusent finalement. Vicky interroge désespérément ses amies:

— À qui ça arrive, ce genre de choses?

— À toi!

— Quand je vais au bar, tout le monde me demande si je vais bien!

— T'as une voix qui porte quand tu cries; tous les touristes à Cancún ont entendu ta détresse! Tu enterrais la musique merengue, au bar! exagère Katia.

— Nous qui nous cachions à l'extrémité de la plage pour être discrètes! C'est raté, hein! rappelle Caroline.

Elles cessent de divaguer lorsqu'elles aperçoivent, au loin, le propriétaire de l'iguane repasser dans leur section.

— S'il revient près d'ici, je verse mon verre de «*piña Canada*» sur la tête de son maudit lézard! enrage Vicky.

Le Mexicain semble avancer péniblement, les pieds dans le sable. Il se dirige effectivement vers elles.

— Calme-toi, il vient peut-être juste pour s'excuser!

Une fois près d'elles, et sans rien dire, l'homme tend en direction de Vicky une photo imprimée et insérée dans un cadre cartonné et coloré. Il s'agit de la deuxième prise, donc celle où on la voit de plus près. Le cliché est très réussi.

— Tu vois, il t'offre la photo pour se faire pardonner, croit deviner Caroline, qui lui sourit, reconnaissante de sa gentillesse.

Celui-ci s'essuie le front du revers de la main, son immense reptile sous le bras. La chaleur est suffocante en cette fin d'après-midi. Les filles examinent la photo à tour de rôle. Vicky esquisse finalement un sourire au Mexicain, pour le remercier de son attention.

— *¡Diez dólares, por favor!*[15] dit-il à Vicky.

— Quoi? plisse-t-elle des yeux, le soleil lui baignant le visage.

---

15. Dix dollars, s'il vous plaît!

— ¡*Diez dólares, por favor!* répète-t-il lentement.

Il se dégage le bras, la bête calée sous son aisselle, de façon à remettre ses dix doigts en éventail.

— Oups! Il veut que tu le paies pour la photo, déclare Caroline, mal à l'aise pour son amie.

— Pfft! Eille! Il peut bien se la mettre où je pense, sa maudite photo, s'oppose Vicky, insultée.

Impatient, le Mexicain ouvre grand la main gauche, la paume vers le haut, tout en s'approchant de sa cliente récalcitrante. Il insiste, en tendant sa main plus loin. Déterminée à lui tenir tête, Vicky reste de marbre; il se met alors à gesticuler haut et fort en espagnol des propos qu'on suppose être injurieux. Tout le monde se retourne vers elles de nouveau. Katia sort sa pochette de monnaie et en extrait un billet de cinq dollars américains et quelques-uns d'un dollar, pour finalement tendre à l'homme la somme exigée. Vicky s'insurge:

— Pas question que tu le paies! Et ma boucle d'oreille, elle?

Vicky abaisse son regard en direction de la gueule de l'animal, qui tient toujours le bijou entre ses petites dents pointues. Elle montre l'objet au Mexicain en piaillant. L'homme, en colère, arrache l'anneau des lèvres cuirassées de l'iguane et le lance sur la chaise longue de Vicky. Brusquement, il s'empare de l'argent que lui tend Katia avant de déguerpir. Vicky se tourne vers ses amies, muette, exaspérée, les yeux ronds.

— C'est pas grave, Vic! la rassure Katia.

Katia lui fait signe de la main de se calmer et de respirer doucement.

— Il est vraiment insultant, lui!

— Tiens, ta photo! lui dit Katia, en lui présentant le cadre, certaine qu'elle sera finalement contente.

Vicky l'abandonne sur sa chaise longue, juste à côté où gît sa boucle plaquée or, marquée maintenant des morsures de l'iguane. Persévérant, le vendeur de noix de coco revient près de Caroline pour la deuxième fois:

— ¿Coco?

— ¡No! répond poliment celle-ci, avant d'esquisser un sourire forcé à ses amies.

— ¡Si!

— Pfft... Ils sont donc bien tous fatigants, aujourd'hui!

JOUR 7
VOL AQ993
CANCÚN–MONTRÉAL
16 H 21

— Cette journée-là, tous les Mexicains me tombaient royalement sur les nerfs! avoue Vicky.

— Normal! T'étais à fleur de peau, après t'être fait presque croquer l'oreille par l'espèce de monstre-reptilecarnivore, sympathise Katia en désignant du menton la photo sur laquelle Vicky tient l'iguane dans sa main.

— Comment mesurait-il, vous pensez? Comme ça? demande Vicky, en élargissant excessivement ses bras de la longueur de l'animal.

— Pas tant que ça...

— Euh... Peut-être vingt pouces? propose Caroline, perplexe, qui trouve la mesure esquissée par Vicky franchement exagérée.

— T'es malade! Bien plus que ça, dans le genre cent pouces!

— Bien non, voyons!

— Imagine la grandeur d'un sous-marin douze pouces chez Subway, l'aide Katia, en mimant avec ses deux mains la longueur du mets.

— Au moins trois, quatre fois ça! Avec sa longue queue, environ deux mètres?

— On fait une belle *gang* de profs pas trop bonnes en mathématiques!

— Je vais dire trois mètres pour ajouter au sensation-nalisme lorsque je raconterai mon anecdote savoureuse! conclut Vicky, ennuyée par tous ces calculs estimatifs.

— T'exagères! Disons plutôt un mètre et demi, au maximum! la corrige Katia, plus douée dans les conver-sions métriques que ses copines.

— Coudonc, t'es prof d'anglais ou de maths, toi ?

— J'ai fait beaucoup de suppléances avant d'avoir mon poste ! plaisante Katia, en levant sa bouteille d'eau en l'air.

— Je vais quand même dire trois mètres ! Ça rend le tout tellement plus croustillant !

— Parlant de croustillant ! On n'a pas eu beaucoup de détails sur ton rendez-vous de ce soir-là, toi ! se souvient Caroline, en s'adressant à Katia.

— Pourtant, c'était assez « croquant », merci ! Du moins, le début...

— À cause des accusations portées contre vous, on n'a pas eu droit à beaucoup de détails au petit matin, rappelle Vicky.

— On connaît juste le lieu du crime, soit la salle de lavage !

— On joue à Clue, ou quoi ? As-tu baisé avec le colonel Moutarde ?

— J'accuse : le danseur de flamenco, dans la salle de lavage avec une bouteille de rhum...

— On t'écoute !

— Oui, raconte ! On dirait que je ne m'en souviens plus trop.

JOUR 5
PLAYA LUNA RESORT
CANCÚN, MEXIQUE

— De quoi ai-je l'air ? interroge Katia, qui sort de la salle de bain d'un grand pas.

Vêtue d'une robe rouge en tissu léger, assortie de ses escarpins noirs, elle s'avance doucement, ses longs cheveux lui tombant tout naturellement sur les épaules.

— T'es tout à fait parfaite ! lui confirme Vicky, étendue sur son lit.

— Je ne veux pas être trop chic. On mange pas très loin d'ici ; ensuite, je ne sais pas ce que l'on fera...

Frappée d'un éclair de génie subit, Katia ouvre son petit sac à main et s'agenouille devant sa valise étalée sur le plancher. Elle empoigne une boîte de préservatifs qu'elle déballe grossièrement. Elle en glisse deux dans son sac, puis se relève avec un air interrogateur. Elle se penche de nouveau pour en saisir deux autres, qu'elle met également dans son sac.

— Quatre ? Ouin ! Tes attentes pour la fin de soirée semblent très claires, en tout cas ! commente Caroline en l'observant du coin de l'œil.

— Précaution mexicaine ! Il doit être en forme, c'est un danseur professionnel ! rigole-t-elle, en replaçant son décolleté devant la glace de façon à le mettre en valeur. Vous deux, qu'est-ce que vous allez faire, ce soir ?

— Moi, je vais peut-être parler à mon *chum* sur Internet. Ensuite, je ne sais pas, explique Caroline.

— Moi, je *feel* bouette un peu, mais je vais aller faire une tournée pour trouver mon beau Bradley. Ensuite, il va venir à la chambre avec moi. On va se coller en écoutant un film en espagnol tout en s'embrassant pendant des heures, fantasme Vicky, en enlaçant un oreiller avant de tournoyer langoureusement sous les draps avec ledit coussin.

— Demande-lui de te mettre de la crème, aussi! divague Caroline, qui s'amuse aux dépens de son amie.

— Très drôle... On trouverait autre chose à faire que de se mettre de la crème, je te jure!

— Bon! Bonne chance dans tes recherches. À plus!

— Bonne soirée!

Assise sur le bord du muret, près de la plage, Katia embrasse depuis déjà un bon moment Fernando, qui semble la désirer ardemment. Après être sortis dans un resto-pub, et ne sachant pas où aller par la suite, ils sont tout bonnement revenus au complexe hôtelier. Katia apprécie beaucoup la présence du Latino-Américain, entre autres parce que ses gestes sont toujours doux et voluptueux. Parfois, il lui fait des câlins sur la nuque avec le bout des lèvres, pour ensuite lui mordiller lentement les oreilles, la faisant ainsi frissonner à tout coup. Elle trouve par contre qu'il utilise abusivement sa langue pour l'embrasser; elle la lui pince avec les dents de temps à autre pour lui faire subtilement comprendre le message. La communication entre eux est assez fluide. Fernando parle très bien anglais; pour sa part, elle est parfaitement bilingue, compte tenu qu'elle enseigne cette matière. Afin de se désaltérer, ils ont apporté le nécessaire pour concocter des «*rhums and coke*». À cette heure-ci, le couple commence à se sentir un peu «cocktail». Minuit approche à grands pas et cela rend Fernando plus nerveux, car il sait que les gardiens de nuit feront de plus fréquentes rondes sur la plage.

Ce qui doit arriver arrive, justement. Après un long baiser, le couple se redresse, une lueur bleuâtre scintillant par moments dans leur direction. Le faisceau d'une lampe de poche virevolte en effet au loin.

—*¡Vamos!*[16] crie Fernando, en jetant le contenu de son verre et celui de Katia dans le sable avant de remettre le tout dans le sac.

Il l'attrape par la main et grimpe le muret de pierres. Tous deux courent vers le complexe hôtelier. Ses escarpins dans une main, Katia rit en se pressant à ses côtés. Cela lui rappelle bien évidemment la deuxième soirée. Fernando lui marmonne qu'il sait où aller et bifurque vers un des modules, à droite du chemin menant au hall. Comme les immeubles possèdent deux entrées de chaque côté en plus de l'entrée centrale, il entre par la première

---

16. Allons-y!

à droite pour sortir directement à l'autre bout. Des touristes sourient en les voyant s'amuser à courir de la sorte. Avant d'atteindre la sortie du module, le duo croise un groupe de vacanciers qui reviennent à leur chambre. Katia reconnaît parmi eux le couple qui s'est marié, accompagné de sa famille.

— *Sorry!* s'excuse-t-elle, en se faufilant pour ne pas entrer en collision avec personne.

Une fois dehors, Fernando emprunte un escalier qui descend vers le sous-sol, juste en dessous du hall. Maintenant à l'abri des regards, il ralentit le pas. Il s'appuie le dos contre le mur, tout près d'une large porte de métal, pour reprendre son souffle. Katia, également hors d'haleine, respire bruyamment. Mais cela ne l'empêche pas de blaguer dans la langue de Shakespeare :

— C'est du sport, passer une soirée en ta compagnie !

— Je ne tiens vraiment pas à perdre mon job, tu comprends. Mon salaire soutient toute ma famille ; ma mère, mon père et mes deux frères...

— Je comprends très bien. De toute façon, c'est juste amusant ! Je me sens comme si j'avais quinze ans !

Il ouvre la porte sans avoir besoin de clé et, galant comme toujours, il l'invite à entrer la première. Elle lui jette un regard alangui en passant devant lui et pénètre dans la pièce sombre et humide. Lorsqu'il appuie sur l'interrupteur, elle se rend compte qu'ils se trouvent dans la salle de lavage du complexe hôtelier. Six immenses machines à laver industrielles se dressent fièrement dans un coin et six sécheuses activées leur font face. De grandes penderies meublent presque tout le reste de l'espace. Deux gigantesques tas de draps jonchent le sol. L'un plié et propre et l'autre pêle-mêle et sale. Les fameuses serviettes de plage bleues de l'hôtel sont aussi entreposées dans le fond de la buanderie. On y trouve également une table placée au milieu, accompagnée de trois chaises, ainsi que des étagères remplies de divers produits nettoyants pour la lessive.

— Personne ne viendra ici avant cinq ou six heures du matin, confirme Fernando en déposant son sac sur la table.

Malgré le bruit des sécheuses, ils entendent en sourdine la musique du bar, ce qui rend l'ambiance de la sombre pièce plus conviviale. Katia se sent émoustillée de se retrouver dans ces lieux insolites avec son beau Mexicain. «Ce n'est pas très exotique comme décor, mais vraiment excitant!», se dit-elle, en avançant vers lui pour saisir le verre qu'il lui tend. Ils discutent un moment avant que celui-ci décide de la faire danser au son de la musique, devenue plus perceptible, les sécheuses ayant terminé leur cycle. La danse s'avère beaucoup plus sensuelle que celle que Fernando enseigne en fin d'après-midi... La jambe droite de Katia, retenue fermement entre celles de son partenaire, excite à l'évidence Fernando. À l'aide de sa cuisse, elle lui frictionne allègrement l'entrejambe bien durci, l'invitant par ce geste à une éventuelle partie de fesses. Fernando, de plus en plus stimulé, la met dos à lui en agrippant ses hanches, leurs deux bassins effectuant des rotations lascives. Au son de la musique rythmée mais langoureuse, il lui embrasse gloutonnement la nuque et l'arrière des oreilles. Doucement, ses mains se déplacent vers le haut et lui touchent un sein. «Ce qu'il est chaud!», constate Katia, dont l'excitation ne cesse de croître. Elle se retourne, les yeux mi-clos, la bouche entrouverte, pour s'abreuver à la sienne, dans un abandon total. Avec un mouvement délicat, il baisse la fermeture à glissière de sa robe, lui dénudant ainsi le dos. Il fait retomber le vêtement sur ses hanches jusqu'à ce que celui-ci glisse par terre. Désireux de l'admirer dans sa nudité, il la fait reculer d'un pas en la tenant par la main, et ramène fermement son corps contre lui. Exécutant un véritable ballet aérien, il la juche sur la table, une main sur sa hanche et l'autre derrière sa cuisse...

— Pfft! souffle Katia, en admirant avec force bonheur son partenaire tout en sueur.

— *¡ Caliente !*[17] murmure celui-ci.

À l'évidence, la partie de jambes en l'air a été des plus satisfaisantes pour lui aussi. Encore en costume d'Adam, il avance vers l'amoncellement de draps propres et s'y laisse choir dans un soupir d'extase. Katia, nue également, le rejoint. Elle s'allonge sur le dos, près de son corps chaud, si bien découpé. D'une main, il attrape un drap léger qu'il pose sur eux. Il se place de façon à être plus à l'aise et pour que sa compagne appuie bien sa tête au creux de son épaule. Épuisé de s'être fait l'amour de façon quasi sportive,

---

17. Chaud!

le couple s'endort, l'un contre l'autre, sans rien se dire et sans trop penser à la suite des choses.

JOUR 7
VOL AQ993
CANCÚN–MONTRÉAL
16 H 26

— C'est pas des farces, quand tu me parles de votre baise au sous-sol de l'hôtel, j'ai chaud et je regrette de ne pas l'avoir «*cruisé*» avant toi! plaisante Vicky, les yeux ronds comme des billes, en secouant son chandail à l'encolure comme si elle avait des chaleurs.

— Mon Dieu! Moi aussi! exagère à son tour Caroline. *Sexy* latino, il devait vraiment être bien bâti, hein?

— Hum..., se remémore en silence Katia, un sourire niais sur le visage. Juste dommage que le réveil se soit passé si abruptement!

— Cibole, oui! Pour nous aussi, je te rappelle! se souvient Vicky, en esquissant une moue qui en dit long.

JOUR 6
PLAYA LUNA RESORT
CANCÚN, MEXIQUE

Katia réprime un soubresaut lorsque Fernando se lève d'un bond de leur lit de fortune. Quelqu'un vient par l'escalier. Pour ne pas être vu dans son plus simple appareil, il saisit son caleçon boxer au sol et l'enfile en toute vitesse. Puis il empoigne d'autres draps qu'il lance sur le plancher pour recouvrir les vêtements de Katia traînant un peu partout. Il la déplace dans un coin, entre le mur et une grosse étagère, en s'excusant en espagnol d'être un peu brusque avec elle. Encore endormie et toujours nue, Katia plie légèrement les genoux pour prendre une serviette gisant près d'elle, afin de couvrir l'essentiel. «Bon matin...», pense-t-elle, en entendant effectivement une femme de ménage qui tombe nez à nez avec Fernando, en sous-vêtement, au beau milieu de la pièce. «Comment va-t-il justifier sa présence ici, à moitié nu?», se demande-t-elle, tout de même nerveuse à l'idée qu'ils soient démasqués. La femme et Fernando discutent en espagnol pendant un long moment. Katia ne comprend rien à la conversation. Cependant, d'après leur ton de voix grave, elle saisit que la discussion est empreinte d'une certaine tension. La femme de ménage s'empare finalement d'un bac de serviettes propres avant de remonter l'escalier. Katia ne sort pas tout de suite de sa cachette. Elle relève d'abord la tête et aperçoit Fernando qui s'habille en blasphémant en espagnol.

— Elle a compris que tu avais amené une cliente ici?

— Non, je lui ai dit que je lavais mes vêtements, car j'avais renversé un verre de jus... Elle m'a cru.

— Tout est bien, alors! affirme Katia, contente d'avoir ainsi évité le pire.

— Non, ça ne va pas du tout. Le problème est que le couple de jeunes mariés du Wisconsin s'est fait voler leur appareil photo dans leur chambre, hier soir. Beaucoup de clichés du mariage et tout... Comme on s'est faufilés entre eux, hier, dans notre course, ils nous soupçonnent du vol.

— QUOI ?

— On trimballait un sac dans les mains, et de plus on semblait sortir de leur chambre. Sinon, que faisait-on, dans leur module, à rôder près des chambres, à cette heure tardive ? lui demande-t-il, pour lui faire comprendre leur raisonnement.

— Comment ils nous ont reconnus ?

— Dans mon cas, pas trop difficile : ils suivent mes cours de danse tous les jours depuis le début du voyage...

— Je vais leur dire, moi !

— Tu vas leur dire quoi ?

— Euh..., réfléchit Katia, consciente qu'elle doit inventer un motif justifiant à la fois leur course, sa présence avec Fernando et leur activité de la soirée.

Fernando se prend la tête à deux mains, essayant de trouver une façon honorable de se sortir de cette impasse. Katia s'approche de lui :

— Dis-moi quoi dire et je le ferai...

Il la fixe d'un regard pénétrant, concentré à inventer une histoire crédible.

— On dira qu'on courait pour rejoindre des amis dans le lobby et qu'ensuite on allait marcher en direction de la ville. Je tenais ton sac de souvenirs, car tu portais tes souliers. Se retrouver dans ce module était donc un pur hasard, propose-t-il, les yeux rivés sur le plancher, avant d'ajouter :

— Ils ne vont jamais croire ça !

— Ils vont croire ça, certain ! Voir si je volerais une caméra en vacances, voyons ! Ça n'a pas de bon sens ! Je vais arranger tout ça, moi !

— Ça doit valoir cher… facilement plus de cent dollars.

— Justement, ça vaut rien ! Personne ne volerait ça !

Katia termine de se vêtir en vitesse, motivée par l'urgence d'aller rectifier la situation. Insultée, elle rage mentalement : « Eille ! M'accuser du vol d'un "Kodak" ! Franchement ! »

En entrant avec fracas dans la chambre, elle se rend compte, trop tard, qu'elle aurait pu se faire plus discrète, vu qu'il est seulement 6 h 20 du matin. Les filles remuent, importunées par le bruit. Encore endormie, Caroline la questionne, juste pour s'assurer que tout va bien :

— Ça va ?

— Oui et non ! avoue Katia sans détour, en se changeant rapidement.

— Qu'est-ce qu'il y a ? s'informe à son tour Vicky, en s'étirant dans son lit.

Katia leur raconte l'histoire et les accusations pesant sur elle et Fernando.

— C'est donc bien ridicule! réagit Caroline, en doutant fort que cette histoire saugrenue fasse des ravages.

— Je vais aller les voir pour discuter. Il ne faut pas que Fernando perde sa *job*.

— Il baise bien? demande Vicky en se retournant dans son lit, l'air de rien.

— Oui! C'était malade mental! Un dieu mexicain!

— Où? Sur la plage? présume Caroline, en se redressant dans son lit.

— Non, dans la salle de lavage! avoue Katia, en sortant sa tête de la salle de bain pour sourire à ses amies.

— Où c'est? Dans un des modules?

— Non, c'est en dessous du lobby. On s'y rend par un escalier, au fond de l'immeuble à Dawson; c'est la raison pour laquelle on courait près de ces lieux-là.

— Et lui, vu qu'il travaille ici, il avait la clé..., suppose de nouveau Caroline, perspicace.

— Non, ce n'était pas barré, d'où la raison pourquoi on s'est presque fait prendre ce matin...

Katia explique rapidement à ses amies leur réveil brutal et la scène burlesque qui s'en est suivie. Les filles se bidonnent en l'imaginant, toute nue, planquée entre le mur et une étagère, à attendre que la femme de chambre sorte. Elle termine en avouant :

— Digne d'une pièce de théâtre d'été de Gilles Latulippe! Quelle histoire! Quand je vais rencontrer un gars au Québec, je vais trouver ça plate en maudit d'aller au resto et au cinéma ensuite! J'ai l'impression de jouer dans un film de James Bond chaque fois que je vois Fernando!

— Tu vas déjeuner avant de leur parler?

— Oui, il est un peu tôt de toute façon, ils doivent encore dormir.

— Comme on serait toutes censées faire! se plaint un peu Vicky en se frottant les yeux.

— OK, je vais déjeuner avec toi! Tant qu'à être debout, annonce Caroline en se levant pour s'habiller.

— Moi aussi!

— Toi, mets de la crème!

JOUR 7
VOL AQ993
CANCÚN–MONTRÉAL
16 H 30

— C'était tellement stupide, cette histoire-là! se remémore Caroline. Voler l'appareil photo des mariés...

— Sur le coup, je me suis dit: «Ah non, ils nous accusent à tort, mais Fernando va peut-être perdre sa *job*!» Ensuite, j'ai réalisé: «Euh, un instant! On m'accuse, MOI, de vol!» et j'étais super insultée!

— À part quelques serviettes, on vole rien pantoute, nous autres! proclame Vicky, un poing en l'air pour être convaincante. Malgré le fait que je n'ai jamais rendu la sauce Tabasco au gars du bar...

— Parlant de ça! C'était trop drôle quand Dawson est arrivé au buffet ce matin-là! Je vais toujours m'en souvenir!

— Juste pour ça, on a bien fait de se lever pour aller déjeuner avec toi!

— Ç'a fait ma journée, rajoute Katia.

— Eille! eille! eille! J'étais-tu fière de mon coup, tu penses! glousse Vicky, en joignant son pouce et son index pour former un rond pour témoigner de l'ampleur de sa satisfaction.

— On a surtout été chanceuses qu'il arrive exactement à ce moment-là, précise Caroline.

— Bien oui, c'était vraiment une sorte de vengeance où, techniquement, tu n'étais pas censée assister *live* au dévoilement du résultat..., élabore Katia.

— On a vraiment été choyées, les filles! La gloire divine...

JOUR 6

PLAYA LUNA RESORT
CANCÚN, MEXIQUE

Les copines, assises à une table au milieu de l'aire de repas, discutent tranquillement devant un troisième café au lait lorsque Dawson fait son entrée accompagné d'un autre gars. Caroline pointe son menton en direction de Vicky, les sourcils relevés, pour lui indiquer la présence dudit mâle.

— Bon ! Avec un gars ce matin ! Non, mais tant qu'à s'envoyer en l'air avec tout le monde ! divague-t-elle, en sachant très bien que celui-ci s'avère plutôt un membre de sa famille.

Dawson porte son fameux maillot de bain noir « épicé ». Les filles, qui ne prêtent pas trop attention à ce détail, l'épient discrètement de loin. Katia, honnête, commente :

— Il est beau gars en crime, pareil…

— Je le sais, ne tourne pas le fer dans la plaie, se désole Vicky, en le matant toujours subtilement du coin de l'œil.

Dawson, ne se sachant nullement observé, se dirige vers le Mexicain qui confectionne des omelettes sur mesure, près d'une plaque chauffante. Il lui pointe les ingrédients qu'il aimerait retrouver dans la sienne. Entre-temps, il se gratte l'entrejambe une première fois avec la phalange de son pouce. Visiblement inconfortable, il se tourne le dos aux tables afin de dégager la fourche de son short, mais cette fois-ci avec toute sa main.

— Les filles! Les filles! Il porte le maillot «chaud»! s'écrie Vicky, qui n'y pensait réellement plus.

— Ah! ben oui! éclate de rire Katia, en examinant Dawson avec encore plus d'attention.

Les trois copines placent leur chaise comme si elles s'apprêtaient à visionner un film palpitant. Plus loin, Dawson remue les fesses de gauche à droite comme s'il ressentait un réel inconfort. Le gars qui l'accompagne revient vers lui avec une assiette à demi pleine, semblant s'interroger s'il prendra ou non une omelette comme son ami. Dawson se penche pour lui murmurer quelque chose à l'oreille. Celui-ci se recule, fixe son vêtement et hausse les épaules, pour lui signifier son incompréhension à l'égard de son malaise.

— Je vais aller lui demander où se trouve le couple de jeunes mariés, décide Katia en se levant d'un bond.

Son omelette étant servie, Dawson se dirige vers une table en marchant drôlement; il se sent incommodé pour une raison qui lui est complètement inconnue. Il dépose son assiette et sort rapidement du restaurant, après avoir informé son ami qu'il devait s'absenter quelques minutes. Katia, qui l'intercepte au passage, lui demande en anglais:

— Excuse-moi, je dois parler à ta cousine. Sais-tu où elle se trouve?

Dawson, qui a accéléré le pas comme s'il avait une urgence «tourista», l'écoute à peine en lui répondant :

— Je ne sais pas... Excuse-moi, je dois partir...

Katia reste plantée au milieu de la place, les bras le long du corps, l'air faussement stupéfaite de le voir déguerpir en direction de sa chambre. Elle revient vers sa table en souriant, la main devant la bouche. Elle fait l'idiote :

— Je ne comprends pas, il n'avait vraiment pas l'air bien, comme inconfortable dans ses shorts...

— Bizarre, hein ? Pourtant, tout semblait si bien se passer de ce côté-là depuis le début de son voyage, ajoute Vicky, en prenant une grosse bouchée de musli.

— Ce sont des choses qui arrivent !

Les filles s'esclaffent de nouveau.

— Bon matin, ma belle Kat d'amour ! s'exclame le grand Québécois inconnu, en s'approchant de leur table pour lui secouer doucement les épaules par-derrière.

— Tiens donc ! Mon *chum* qui arrive ! rigole Katia, désormais résignée à ne jamais savoir ce qui s'est passé avec lui le premier soir.

— Ça fait longtemps que vous êtes ensemble ? plaisante à son tour Vicky, en considérant le nouveau couple avec intérêt.

— Je te dirais précisément... euh, depuis le premier soir! Hein? s'enquiert le gars en approuvant de la tête.

— C'est juste plate que je ne me souvienne pas de ton nom!

— Mon nom! Estie que t'es drôle! Vous êtes toutes vraiment crampantes, les filles! Lâchez pas! J'adore ça! Bon, j'ai faim. À plus!

Le Québécois tape le bord de l'épaule de Katia et s'éloigne pour rejoindre ses deux amis, installés à une autre table.

— Bon, on est «toutes» rendues drôles, maintenant!

— Il me fait capoter, lui! Sérieusement, il faut que je sache la vérité d'ici la fin du voyage. Sinon, je ne pourrai pas continuer à vivre ma vie normalement, avoue Katia, toujours confuse.

Dawson revient dans le restaurant quelque temps après son «urgence fourche». Il a troqué son short contre un bermuda. Il raconte quelque chose qui semble palpitant à son copain, en pointant son entrecuisse à plusieurs reprises durant ses explications. Son ami écarte les bras en guise d'impuissance, comme si l'histoire de Dawson le déconcertait.

— Bon, il s'est changé. Il est tout propre, maintenant!

— Il fait comme moins chaud dans la section buffet...

— Je paierais cher pour entendre ce qu'il vient de lui gesticuler, fantasme Vicky, en s'amusant de son air scandalisé.

— Tu dis...

— On aurait dû mettre une méduse dans le fond de son short ! reprend Vicky, encore en mode vengeance.

JOUR 7
VOL AQ993
CANCÚN–MONTRÉAL
16 H 37

— Dawson a vraiment dû ne rien comprendre du tout à son malaise, présume Caroline.

— Son maillot était noir, la sauce Tabasco ne devait pas se voir. À moins qu'il ait humé la fourche de son short ! s'imagine Vicky, en imitant un bruit de reniflement avec son nez.

— Ouache !

— Racontez jamais ça à personne, hein ? C'est quand même con ce que j'ai fait, pas très mature du moins, réfléchit Vicky, peu fière d'elle en réalité.

— On ne l'a presque pas revu après ce matin-là, hein ?

— Non...

— De toute façon, Vic, ne t'en fais pas. On a dit qu'on laissait tout ce voyage derrière nous aussitôt qu'on mettait un pied à Montréal, précise de nouveau Katia, ravie que cette décision ne soit pas juste avantageuse pour elle.

— Hum, oui, tout restera là-bas..., ajoute tristement Caroline en tournant la tête vers le hublot.

— Pourquoi tu fais une face d'enterrement, toi? S'il y en a une qui n'a rien fait de mal durant tout le voyage, c'est bien toi! réagit Vicky en étirant le bras pour lui secouer l'épaule comme pour lui faire avaliser la réalité.

— Bien... Les vacances sont finies, je suis comme nostalgique, avoue celle-ci, en levant les sourcils qu'elle laisse un moment très hauts.

— Au moins, l'histoire du «Kodak» volé ne s'est pas trop mal terminée...

— Une chance! Je me serais sentie tellement coupable s'il avait perdu sa *job* pour cette fausse accusation. Imaginez Fernando, pris pour faire le clown dans le faux village de pauvres! spécule avec découragement Katia.

JOUR 6

PLAYA LUNA RESORT
CANCÚN, MEXIQUE

— Bon! Prise deux: je vais aller demander à Dawson s'il sait où je peux trouver la mariée, maintenant qu'il semble se sentir plus serein au niveau de son entrejambe..., annonce Katia en se levant.

— Envoie-le promener de ma part! ne peut s'empêcher de dire Vicky.

En arrivant à la hauteur de leur table, Katia s'excuse
de le déranger une seconde fois. Elle repose sa question
aux deux gars, puis discute un moment avec eux. À son
retour, elle fait part de sa cueillette d'informations à ses
amies.

— Il m'a dit de ne pas trop m'en faire. Sa famille a cru
que c'était nous, mais il leur a mentionné qu'une touriste
n'avait aucun intérêt à faire un truc du genre. Il soupçonne
plutôt une des femmes de ménage. Il paraît que la mariée
est dans tous ses états.

— Je comprends! Les photos de son mariage : parties,
envolées!

— Il m'a dit de me rendre à leur chambre, la 1307.

— Tu veux qu'on t'accompagne? propose Caroline.

— Non! non! Je vous rejoins sur la plage, après.

— OK! Comme tu veux!

En sortant du buffet, elle salue son «*chum*» fictif en
brandissant haut la main, histoire de continuer à jouer le
jeu avec lui. Au point où elle en est rendue! Il lui renvoie
la pareille, en souriant à belles dents. Elle croise ensuite
«le voisin», qui lui fait un léger signe de tête en se rendant
compte, l'air gêné, que c'est elle. Il déguerpit vers le
buffet, les fesses serrées, la tête basse, pour éviter de lui
parler. «Coudonc, il prend donc bien son malaise face à

Vicky à cœur, lui!», se dit-elle, avant de lever les yeux vers le ciel magnifique en ce début de journée.

En prenant son courage à deux mains, elle cogne à la chambre 1307, dans l'espoir que tout se déroule bien. La mariée ouvre la porte. Sans saluer sa visiteuse, elle croise par instinct les bras en apercevant Katia sous le porche. Elle interpelle immédiatement son mari, sur un ton sévère. Katia se repent d'être venue frapper à leur chambre. Avec une brève introduction, elle se lance, toujours dans un anglais parfait:

— Bonjour, je ne veux pas vous déranger. J'ai eu vent que vous vous étiez fait voler dans votre chambre, hier. Je veux seulement vous signaler que, même si vous nous avez vus hier dans ce corridor, nous n'avons rien à voir avec cette histoire. Fernando est mon ami, c'est un gars honnête. Et je vous jure que ce n'est pas nous!

La mariée, les bras toujours soudés, l'examine, l'air nullement convaincu. Katia tente de renforcer son plaidoyer de non-culpabilité:

— Je suis professeure d'anglais au Québec, j'ai un super bon job. Donc, je n'ai aucun intérêt à voler un appareil photo!

Peu radoucie par les propos de la Québécoise, elle pivote vers son mari en tapant du pied. Sous le regard plus qu'insistant de sa légitime épouse, il prend la parole:

— C'est qu'en vous voyant courir comme ça hier à notre retour de la discothèque, vous aviez vraiment l'air d'avoir fait un mauvais coup... C'est pourquoi nous vous avons soupçonnés.

En le voyant plus réceptif que sa femme, Katia murmure une confidence, en baissant la tête :

— Fernando travaille ici, et disons qu'il n'est pas autorisé à traîner dans le complexe avec des touristes. On revenait de la plage et on tentait de ne pas se faire voir par les gardiens de sécurité...

— OK..., affirme l'homme en secouant la tête, comme s'il comprenait la raison motivant leur course folle dans le corridor.

— Voilà, je suis vraiment désolée pour vos souvenirs. C'est inacceptable ! Vous avez fait des démarches auprès des responsables de l'hôtel ?

— Le gérant nous a promis que tous les casiers des employés seraient fouillés. On veut juste nos photos...

— Je comprends... Je vais demander à Fernando de tendre l'oreille ; il connaît tout le monde. Il travaille ici depuis presque six ans ; il n'aurait vraiment aucun avantage à perdre son emploi en faisant une niaiserie du genre, ajoute Katia pour le disculper davantage.

— On te croit, affirme finalement l'homme, en se tournant de nouveau vers sa femme pour qu'elle accepte cette version des faits.

Sans approuver, elle souffle, l'air pincé :

— Bon bien...

— En tout cas, c'est bien désolant de se faire voler en voyage, reprend l'homme. On s'est fait dérober une serviette aussi sur notre balcon, durant la cérémonie. On a dû payer 20 $ pour en récupérer une autre à la réception, ajoute-t-il en regardant Katia, l'air abasourdi.

— Une serviette? Franchement! C'est ridicule! Le monde n'a pas de bon sens! Bonne journée! déclare Katia en tournant les talons.

En marchant, elle songe : «Ouf! Je ne suis pas coupable du "Kodak", mais de la serviette, oui!»

— Je me sentais-tu conne, tu penses? «Ah oui? Une serviette? Le monde est vraiment fou!» La mariée était tellement bête en plus, raconte Katia, en s'imitant elle-même, mais de façon exagérée.

— Hish, ils ont dû payer, en plus..., réfléchit Vicky en n'ajoutant rien de plus.

— Où est Caro?

— Je ne sais pas, je crois qu'elle est de nouveau sur Internet. Elle s'ennuie de sa famille, je pense.

— C'est *cute*...

Katia balaie la plage des yeux, à la recherche de son danseur. Elle le repère près de l'endroit où les touristes peuvent louer des kayaks et divers équipements de sport. D'un pas décidé, elle se dirige vers lui.

— Allo !

Un autre employé, planté à côté de Fernando, reste là un moment en la dévisageant, l'air amusé. «Pourquoi il me regarde comme ça, lui ?», se demande-t-elle en observant tour à tour les deux hommes. L'employé donne finalement un coup de poing complice sur l'épaule de Fernando avant de s'éloigner. Katia fixe son danseur, en semblant lui dire : «Tu n'as pas été si discret que ça, à ce que je vois...» D'après l'air du type, elle se doute fort bien qu'il semble au courant de leur liaison secrète. Sans faire de commentaires, Fernando s'informe si elle va bien. Elle lui répond :

— Si ! Tu sais, je crois que les soupçons qui pesaient sur nous sont dissipés. J'ai parlé au couple et je leur ai expliqué que ce n'était pas nous.

— Ah ! Pour cette histoire, le gérant a trouvé le coupable tôt ce matin en fouillant les casiers des employés : une femme de chambre ! Il doit être en train de faire part de sa découverte au couple.

— Bon, on s'en est fait pour rien ! lance Katia, en relâchant les épaules, soulagée que cette histoire se termine de façon heureuse.

— Qu'est-ce que tu fais, ce soir ?

— Je ne sais pas... On décolle de l'aéroport demain avant-midi.

—Déjà? Je ne veux pas que tu partes! Reste une semaine de plus, *amor*...

—Ben voyons, Fernando! Impossible, je travaille la semaine prochaine...

—T'es riche! Je suis certain que tu peux prendre *una semana*[18] de congé de plus dans ton *escuela*[19]! enchaîne Fernando, l'air convaincu de ce qu'il avance.

—Euh non! Je ne suis pas riche du tout! rectifie Katia, qui ressent tout à coup un décalage dans la perception que son ami peut avoir par rapport à sa réalité économique.

Il lui adresse une moue du genre: «Arrête! Vous êtes tous riches!», avant de lui proposer:

—On se trouve un coin tranquille plus tard?

—Oui, tu auras peut-être du lavage à faire...

Il lui décoche un clin d'œil malicieux avant de se diriger vers la hutte de location pour préparer ses animations de la journée. Il sifflote. Elle pose légèrement un pied devant l'autre en souriant.

En revenant auprès de son amie, Katia lui fait part de son rendez-vous du soir.

—*Wow!* Une autre belle soirée! Chanceuse!

---

18. Une semaine.
19. École.

Katia rit à l'avance d'une supposition qu'elle s'apprête à partager :

— C'est donc bien long, Caro ! Elle a peut-être rattrapé une sévère tourista ?

— Pouah ! Qui sait !

JOUR 7
VOL AQ993
CANCÚN–MONTRÉAL
16 H 45

— Il me semble qu'à la place de la femme de ménage, j'aurais choisi de voler une autre chambre. Elle devait bien savoir que le couple venait de se marier et que ça ferait un drame planétaire, réfléchit Caroline.

— Hum... pas fort.

Katia fait tourner les photos sur son appareil et tombe sur une d'elle et Thomas, la deuxième journée, près du bar de la plage ; elle l'avait prise en éloignant son bras le plus loin possible.

— Le beau Thomas ! Il était fin. Il ne t'a pas lâchée les trois premiers jours et il a compris vers la fin, hein ! On le voyait moins. A-t-il rencontré une autre fille, finalement ? sous-entend celle-ci, en faisant allusion aux nombreuses filles ayant rôdé autour du jeune avocat.

— Je ne sais pas... Quand je lui ai précisé que j'étais en couple et bien heureuse de l'être, il a persisté un peu, mais il a fini par lâcher prise, explique-t-elle, avec un ton de regret dans la voix.

— En couple ou pas, ça fait toujours plaisir de se faire «*cruiser*», affirme Vicky, pour justifier son ressenti intérieur.

— C'est certain... Mais on n'a pas le droit de toucher, ajoute Caroline, moralisatrice, en agitant son index comme on le fait pour réprimander un enfant en bas âge.

Vicky continue de regarder défiler les photos de Katia, affalée sur l'accoudoir délimitant leur siège. Elle en commente une, où on voit le couple de Québécois, alias «les CC»:

— Le couple de cochons... À la suite de ton aveu, je comprends mieux pourquoi ils étaient toujours après toi, l'après-midi, sur la plage.

— On avait dit qu'on n'en reparlait plus! s'offusque Katia, en passant rapidement à la photo suivante.

— Une chance que tu ne leur as pas révélé notre intention quand on est parties à l'autre bout de la plage, cet après-midi-là! Ils seraient arrivés au galop! exagère Caro.

— Regrettez-vous de l'avoir fait? questionne Vicky, l'air un peu anxieuse.

— Bien non, voyons! C'était juste drôle et, surtout, sans conséquence!

— Tout de même gênant un peu! Avouez...

JOUR 6

PLAYA LUNA RESORT
CANCÚN, MEXIQUE

Les filles boivent un verre, installées pas trop loin du bar de la plage. De là, elles observent avec appréhension Katia, qui revient de discuter avec le couple en question.

— Qu'est-ce qu'ils voulaient ? s'informe Caroline, toujours aussi curieuse relativement à cette histoire.

— Rien, rien…, répond Katia, évasive, en contemplant la mer au loin. C'est-tu beau, hein ?

— Rien ? reprend Caro, tenace.

— Rien comme dans : ce n'est pas de tes affaires, fatigante ! s'insurge Katia, son regard vrillé dans le sien, pour lui signifier clairement qu'elle a atteint sa limite concernant ses questions indiscrètes.

— Ah ! Ne grimpe pas dans les palmiers, je demande ça par cu-ri-o-si-té…, explique Caroline, qui prononce le mot syllabe par syllabe avec amusement pour éviter de créer un froid.

Constatant la naissance d'un malaise, Vicky fait diversion en commentant un groupe de femmes installées plus loin sur la plage.

— Regardez ! Il y a des femmes qui font du monokini, là-bas ! Moi, j'admire ça, les filles bien dans leur corps !

— Je suis bien dans mon corps, moi! insiste Caroline, comme si Vicky avait présumé le contraire.

— Ben là, pas assez au point de faire ça, quand même! lance Vicky, ne partageant pas l'affirmation de son amie.

Caroline, un peu orgueilleuse, réplique:

— Pfft! Certain!

— Moi non plus, ça ne me dérangerait pas, déclare Katia, par crainte d'être la seule «pas à l'aise» avec son corps.

— On y va? les défie Vicky, persuadée que ses amies refuseront catégoriquement l'audacieuse proposition.

— Euh... Maintenant? enchaîne Caroline, étonnée, tout à coup déstabilisée par la détermination de Vicky, qui rassemble ses effets personnels, déjà prête à partir.

— Euh... Après un autre verre, disons? suggère Katia, en se redressant rapidement pour se diriger vers le bar, sans attendre la réponse de ses amies.

— OK! Après un autre margarita... Un double, *por favor*! accepte Vicky, tout de même secrètement angoissée à la perspective de leur projet.

Quelques instants plus tard, les filles bavardent en sirotant un autre cocktail. Une vision troublante les frappe de plein fouet.

— Ark! Voyons, voilà les «Speedos» qui déambulent, maintenant!

Un groupe de trois touristes mâles, dans la quarantaine, avancent sur la plage, semblant tous être extrêmement comprimés dans leur petit maillot trop serré.

(À lire, toujours en s'imaginant la voix charnue et octaviée de Charles Tisseyre...)

Précision concernant la présente étude scientifique: le vacancier contemporain arborant fièrement le maillot de type «Speedo» fait partie d'une classe à part de touristes. Bien que le processus décisionnel soit le même quant à la démarche le menant à son voyage tout compris, cette particularité vestimentaire douteuse constitue un détail le différenciant de la masse.

Ledit maillot, toujours trop petit, donnera régulièrement l'impression désagréable qu'un côté de son fessier sort de la limite du tissu, créant ainsi un inconfort notoire chez tous les touristes l'apercevant. Hélas, le vacancier, qui semble faire fi de ce détail, déambulera souvent toute la semaine vêtu de la sorte. La pilosité pelvienne généralement mal entretenue par le porteur dudit maillot, rendra souvent l'ensemble des vacanciers qui le croisent mal à l'aise, voire pris d'un haut-le-cœur. Peu conscient de ce détail répugnant, l'individu en question ne se gênera pas pour adopter des positions écartelées, mettant en évidence son entrejambe, en se croyant ainsi irrésistiblement séduisant.

— C'est dégueu! Regardez celui du milieu: le poil dépasse sur les côtés!

— Moi, je considère que je n'ai pas à vivre ça! déclare Katia, en détournant le visage avec dédain dans la direction opposée.

— Comment peut-on être à l'aise là-dedans. Celui de gauche semble avoir une fesse de débarquée!

— À moins de t'appeler Alexandre Despatie, ça devrait être interdit! établit catégoriquement Vicky.

— Voire même puni par la loi!

Les filles s'amusent allègrement de la scène pendant quelques instants, avant que Vicky ne les presse de nouveau:

— Bon, on y va avant que le soleil se couche!

— Ouais..., hésite Caro, en braquant les yeux sur le groupe de femmes qui se trouve au loin, pour se motiver intérieurement.

Pendant qu'elles rassemblent nonchalamment leurs affaires, Caroline, inquiète, commente:

— On n'est pas obligées de s'asseoir avec elles, quand même!

— Bien non. On va plus loin, c'est certain. On ne les connaît pas.

En avançant timidement sur la plage, les filles croisent les vacancières en monokini, sans jeter un œil dans leur direction, de peur d'avoir l'air de vraies voyeuses. Elles continuent de marcher, pour s'installer plus loin que les «nudistes».

— Ici, c'est bien? propose Katia, en désignant un ensemble de chaises de plage vacantes.

— Non, encore plus loin..., la prie Caroline.

— Bien là, on ne va pas changer de ville, quand même !

— On va en déplacer trois par là.

En tirant les chaises à l'endroit désiré, les filles balayent des yeux l'espace qui les sépare de l'hôtel, en tentant d'y percevoir des visages connus. Personne de familier en vue. Il faut dire qu'elles sont relativement loin. Vicky sourit, tout heureuse, en prenant place sur la chaise du centre.

— On sait bien, tu prends celle du milieu ! commente Caroline en direction de Vicky, les mains sur les hanches.

— Bon ! Prends-la si tu veux, obtempère celle-ci, l'air indifférent en changeant de place.

Vicky se retrouve alors sur la chaise la plus près de la zone occupée par les résidants de l'hôtel.

Les filles étendent minutieusement et lentement leur serviette sur le dossier de leur chaise, en prenant bien soin de ne pas y laisser un coin plié sur lui-même. Elles placent leurs effets personnels en tas et alignent bien droites leurs tongs sur le sable chaud, avant de prendre place sur leur siège tout aussi tranquillement. Maintenant bien assises, et leur routine d'installation terminée, elles fixent le sable devant elles, sans rien dire. Un peu plus loin, les femmes en monokini se rhabillent finalement et se dirigent vers un hôtel opposé au leur. Vicky brise le silence :

— Bon...

Katia ajoute :

— Ouais...

Puis Caro murmure :

— Hum...

Pas tout à fait convaincue de leur projet de nudisme partiel, Katia commente, en pensant rassurer tout le monde :

— Y a rien là, dans le fond, les filles !

— Bien non... voyons... Pfft !

Vicky enlève la première le haut de son bikini en y défaisant le cordon derrière son dos. Katia l'imite en dégrafant le sien sur le devant, et le retire aussi. Elles referment toutes deux leur main droite sur le mince morceau de tissu, avant de rabaisser robotiquement leur bras le long du corps. Se tenant raides sur leur chaise, elles restent là à épier Caroline du coin de l'œil, celle-ci hésitant à ôter le sien. Elle prend finalement son courage à deux mains et dénoue le nœud derrière son dos. La poitrine dégagée, elle déclare, l'air peu à l'aise :

— Et voilà ! Ha ! ha ! haaaa...

Les filles, qui n'osent pas s'observer directement, fixent la mer au loin, qui s'étend à perte de vue. Katia boit presque d'une traite la moitié de son verre. Un couple qui passe devant elles les examine sans scrupule en leur faisant un large sourire.

— Franchement, lorgnez-nous pas de même ! murmure Caroline, presque froissée par l'attitude du couple de sexagénaires.

— Eh bien ! De vrais grands-parents pervers !

— On a quand même les boules à l'air, sur une plage publique du Mexique, lui rappelle Vicky, qui se retourne vers elle en scrutant discrètement sa poitrine à travers ses lunettes de soleil.

— Cibole ! T'as donc bien des beaux seins, Caro ! ne peut se retenir celle-ci, en la fixant maintenant directement et sans pudeur.

— Ah oui ? Merci, répond-elle, gênée, mais tout de même flattée du gentil commentaire.

Comme si la glace était désormais brisée, les filles se redressent pour commenter avec entrain leur poitrine.

— T'as des plus petits mamelons que les miens, c'est ça qui est beau, explique Vicky, en parlant toujours du buste de Caroline.

— J'ai allaité mon fils deux mois, en plus !

— Les tiens sont super ronds, souligne Katia en parlant de ceux de Vicky.

— C'est quand même toi qui a les plus gros ! Chanceuse ! remarque Caroline en pointant Katia.

— Mais je les trouve un peu mous et bas pour mon âge. Faut déjà que je les remonte avec un soutien-gorge *push-up*, se plaint Katia en les prenant fermement dans ses mains et en faisant mine de les monter plus haut. Des fois, je me dis qu'après avoir eu mes enfants, je vais me les faire raffermir. Pas avec des implants, mais en me les faisant juste rehausser.

— Mon Dieu qu'on se sent comme libres et émancipées les seins à l'air et en public en plus, hein! déclare Caroline, de plus en plus en confiance après avoir reçu des compliments flatteurs de la part de ses copines.

— Mets-en! approuve Katia, qui lève son verre pour proposer un toast.

Des rires et des cris fusent soudainement dans leur direction. Les filles se tournent et voient venir près de leur emplacement un groupe de quatre jeunes femmes. L'une d'elles demande, avec un fort accent anglais, la permission de prendre les chaises libres. Katia fait signe que «oui» en souriant. Puis elle retourne la tête vers ses amies, les sourcils levés, impressionnée.

Les jeunes Européennes, blond platine comme Marilyn Monroe, enlèvent sans hésiter le haut de leur maillot, qu'elles lancent sur l'une des chaises de plage. En riant et en se bousculant, les filles, un peu ivres, s'élancent, avec leurs interminables jambes, en direction de la mer. En amerrissant avec grâce dans l'eau, elles continuent de se bousculer, toujours en rigolant. Vicky, un peu jalouse, commente:

— Cibole! On dirait une scène de film de cul avec des stars-pornos-mannequins-suédoises!

— C'est drôle, je suis comme moins à l'aise avec mes boules, tout d'un coup ! enchaîne Caroline en inclinant le menton pour examiner ses seins nus.

— Probablement que Hugh Hefner fait un *shooting* pour son magazine *Playboy*. Un numéro spécial : Norvégiennes en chaleur ! C'est leurs vrais seins, vous pensez ? se demande Katia, en fixant les jeunes filles.

— Celle-là plus à droite, non ! Voyons donc, gros de même ?

— Celle accroupie non plus ! Elle doit avoir maximum dix-sept ans. Impossible !

Les trois amies continuent de scruter un moment les « *playmates* scandinaves » qui pataugent langoureusement dans l'océan turquoise. Un groupe de quelques gars s'approchent à pas de loup en direction des baigneuses. Vicky, qui se retourne vers le complexe hôtelier, voit d'autres personnes filmer la scène en camouflant leur appareil photo. Un homme, muni d'un zoom assez impressionnant, est même dissimulé derrière un palmier pour prendre des clichés dans leur direction.

— Bon, les filles, on se rhabille ! On va se retrouver les seins à l'air sur YouTube à cause de leur nage synchronisée érotique, panique Vicky.

— Hein ? Sérieusement !

— Je vois plein de monde qui les pose. On est probablement dans le petit coin supérieur droit des photos des trois quarts des touristes sur la plage présentement, spécule Vicky, qui remet en vitesse son haut de maillot.

— On est bien trop loin! fait remarquer Caroline en remettant aussi rapidement le sien.

— Ne sous-estimez pas le pouvoir de Sony à concevoir des zooms super-méga-performants! affirme Vicky.

— *Anyway*! Avec le *show* de natation qui se déroule sous nos yeux, je ne crois pas que l'on soit d'un bien grand intérêt! fait valoir Katia en observant toujours les splendides femmes.

En rassemblant leurs effets, elles aperçoivent les Norvégiennes leur faire de grands signes, les invitant ainsi à les rejoindre à la mer.

— Il faut qu'on y aille! leur répond Katia en anglais, comme si elles avaient quelque chose de bien urgent à faire au Mexique, dans leur voyage tout compris!

— Bien oui, un film de lesbiennes dans l'eau! Eille, elles ne réalisent pas qu'elles vont se retrouver sur le Net! réplique Vicky, toujours sous le choc face à leur comportement insouciant.

— Ça ne les dérange peut-être pas!

— Elles sont soûles.

— Hum... Terrible, hein? Les gens font tellement de niaiseries avec un verre dans le nez, ironise Katia, comme si elle se soustrayait d'emblée «des gens» auxquels elle fait allusion.

Ses amies sourient en constatant sa grande capacité d'autodérision, mais aussi parce qu'elles saisissent le message sous-jacent les incitant à ne pas trop juger lesdites femmes ivres...

JOUR 7
VOL AQ993
CANCÚN–MONTRÉAL
16 H 49

— Eille! On a-tu remballé notre «petit B gêné» à la vitesse de l'éclair! se rappelle Vicky en se prenant les seins à deux mains.

— Bien à l'aise, les fe-filles... Jusqu'à ce que les «grosses pointures D siliconées» débarquent en groupe! avoue Caroline, qui se souvient être passée d'un état de plénitude à un état de panique en moins d'une minute.

— En tout cas, on pourra se vanter d'avoir inscrit un gros six minutes à notre actif dans notre carrière de «monokiniste»!

— C'était de voir notre tête qui semblait dire: «Bon bien, on va aller soûler notre petit buste de pauvres au bar, nous autres, là!», plaisante Katia.

Elle exagère délibérément le sentiment qu'elles avaient toutes ressenti en voyant les belles Norvégiennes plantureuses se dénuder.

— On a ri en masse, par exemple, le reste de cet après-midi-là! rappelle Vicky.

— Oui, et tu as rencontré le beau Pat Cruise! Ouuuuh! gémit Katia pour taquiner celle-ci.

— Laisse faire le beau Pat! Avec la fin de soirée que j'ai eue avec lui! Et la triste conclusion de l'histoire...

— Tu parles de votre accident?

— Entre autres. Mais disons de toute cette histoire en général...

— C'est vrai, maususse... Pauvre Vicky, approuve Caroline, si déçue pour son amie.

JOUR 6

PLAYA LUNA RESORT
CANCÚN, MEXIQUE

Vicky, qui attend d'être servie, remarque un gars inconnu assis seul sur un des tabourets du bar, à quelques mètres d'elle. Il est assez grand, pas très bâti, mais possédant tout de même une belle carrure naturelle. D'après son petit ventre, il doit être dans la trentaine avancée. Ce blondinet a possiblement les yeux pâles derrière ses lunettes de soleil. Il semble calme, d'une virilité évidente; accoudé au bar, il tente de paraître subtil en épiant Vicky du coin de l'œil, à travers ses verres fumés. Pas dupe de se savoir ainsi observée, elle lui sourit directement. Il lui balance tout bonnement, l'air désinvolte:

— Salut!

— Salut !

— T'es Québécoise ?

— Ouais ! Tu viens juste d'arriver ?

— Je suis si blanc que ça ? plaisante-t-il en s'examinant les jambes, qui sont en effet presque vertes tellement elles sont laiteuses.

— Fais attention au soleil, ici ! J'te jure que j'en sais quelque chose, lui conseille Vicky.

Elle lui montre son dos et ses épaules : la peau a pelé au point de lui laisser des plaques rose foncé quasi mauves.

— Ayoye ! compatit-il, le regard apeuré de vivre peut-être la même chose.

— Tu voyages tout seul ?

— Ouais ! C'est la première fois que je viens dans le Sud ! Mes *chums* disaient tous : «On va y aller, on va y aller !» Au moment d'acheter les billets, tu sais comment c'est : ça adonnait plus pour un, l'autre n'avait pas assez d'argent... Je me suis dit : «Tant pis, j'y vais tout seul !» L'agente de voyages m'avait précisé qu'à Cancún la clientèle était jeune et que j'allais facilement rencontrer beaucoup de monde sympathique !

— C'est vrai ! C'est *cool* comme endroit, tu verras ! Tu veux venir t'installer avec nous ? Je suis là-bas, avec deux de mes amies et d'autres gens du Québec que nous avons justement connus ici.

— *Yes!* Parfait! Mais avant, on m'a demandé de me rendre à une espèce de séance d'information dans le lobby, ou je ne sais trop quoi... C'est important que j'y aille?

— Bien non! Oublie ça! On l'a ratée, nous autres aussi. C'est juste pour expliquer comment l'hôtel fonctionne, je pense. Laisse faire ça! Moi, c'est Vicky!

— Pat!

— Patrick?

— Non! Je t'ai eue: Patrice! rectifie celui-ci, qui sourit tout en s'emparant de son verre et de sa serviette pour suivre sa nouvelle amie vers le rassemblement quotidien de Québécois.

Un petit groupe de jeunes gens festifs s'est encore attroupé tout naturellement autour de chaises et de parasols en feuilles de palmier. D'autres passent en marchant, discutent avec l'un ou l'autre et se greffent finalement au cercle de joyeux fêtards, le coude encore bien actif en cette fin d'après-midi suintante. Thomas se joint à eux, ainsi que deux de ses amis. Un gars revient du bar, un cabaret rempli de verres pour tout le monde. Il s'avance vers Katia:

— Le couple là-bas, au bar, m'a demandé de te dire d'aller les voir.

— OK.

Caroline, toujours suspicieuse des intentions dudit couple, affiche un visage décomposé en direction de

Vicky en voyant Katia se joindre encore une fois à eux. Celle-ci lui renvoie un « non » discret de la tête, lui signifiant ainsi de cesser de s'en faire inutilement.

JOUR 7
VOL AQ993
CANCÚN–MONTRÉAL
16 H 52

— Qu'est-ce qu'ils te voulaient toujours comme ça, réitère Caroline, trop curieuse.

— Qu'est-ce qu'on a dit ? s'offusque Katia. Le sujet est clos.

— C'est pas grave. On le sait de toute façon que tu as…, poursuit Caroline, qui se fait brusquement couper la parole par son amie.

— NON ! ARRÊTE ! s'écrie Katia, frustrée de l'insistance de Caroline au sujet de cette histoire qui lui fait honte et qu'elle tente désespérément d'oublier.

— On a bien ri cette fin d'après-midi-là, en tout cas ! J'ai une photo, je pense, lance Vicky, qui sort son appareil pour faire une fois de plus diversion à la conversation qui s'envenimait. Oui, ici. Regarde-toi l'air, Kat. Tu sembles vraiment enragée !

— Disons que l'activité du G.O. a un peu dégénéré !

— C'était vraiment drôle !

JOUR 6

PLAYA LUNA RESORT
CANCÚN, MEXIQUE

Après avoir été ardemment sollicités par des animateurs pour participer à une activité de groupe sur la plage, les filles ainsi qu'une vingtaine de vacanciers se retrouvent debout sur le sable, séparés en deux rangées égales, à attendre les règles du jeu. Côte à côte, elles se questionnent:

— C'est quoi, au juste?

— Je ne sais pas. C'est long, il fait chaud…, se plaint Vicky en s'éventant le visage.

Fernando ainsi que deux de ses collègues s'amènent afin de leur donner les consignes. Ils remettent tout d'abord les rangées en parfaites lignes droites et divisent finalement les hommes et les femmes de chaque côté, de façon que la personne d'en face soit de sexe opposé. Comme il manque deux femmes pour arriver à un nombre pair, les deux G.O. repartent sur la plage, à la recherche de nouvelles concurrentes.

— Je pense qu'on a le temps de retourner au Québec et de revenir avant que le jeu commence! exagère Katia, impatiente, en observant son danseur *sexy* qui discute avec les hommes recrutés.

— Il est beau, votre danseur, lui déclare une dame inconnue, tout près d'elle.

— Pardon? fait Katia, surprise par le commentaire de la voyageuse, aussi québécoise.

— Ne soyez pas gênée, voyons. Tous les vacanciers du complexe ont remarqué!

— Ah bon..., lâche-t-elle tout en dévisageant ses amies, qui semblent faire fi de ce détail anodin en s'éventant toujours avec leurs mains.

Quelques instants plus tard, les «Gentils Organisateurs» reviennent, accompagnés de deux femmes. Ils annoncent que le jeu va débuter en précisant que leur coéquipier est la personne qui se trouve devant eux. Trois jeunes Québécois, que les filles connaissent bien, se tiennent devant elles.

— Salut! lance Vicky à son partenaire, en lui envoyant la main.

Le jeu s'avère simple : un œuf en coquille cru est remis à chaque couple qui doit se le lancer sans le laisser tomber, en reculant d'un grand pas entre chaque lancer. Tous doivent faire le geste en même temps, au son du sifflet.

— Attention! Ne lance pas trop fort, dit Caroline, pour mettre en garde son partenaire.

Le sifflet se fait entendre et le premier lancer a lieu, puis un deuxième, suivi d'un troisième... L'exercice paraît facile lorsque les coéquipiers se trouvent à proximité l'un de l'autre, mais plus ils s'éloignent, plus les risques de bris augmentent. Un premier œuf casse dans la main d'une fille, puis un deuxième au tour suivant, et ainsi de suite.

Tout le monde s'amuse follement en tentant d'attraper le plus doucement possible l'aliment délicat.

— C'est vraiment drôle, ça, apprécie Vicky en rigolant avec son partenaire.

Après un instant de jeu, il ne reste que cinq couples dans la course, dont les trois filles.

— On est bonnes !

— Les filles de Gatineau sont des pros pour attraper des œufs !

Concentrée à souhait sur le lancer de son ami, Katia sursaute en recevant soudainement un œuf dans le dos, qui s'écrase au contact de son corps.

— EILLE ! beugle-t-elle, en se retournant vers le groupe de participants éliminés qui s'esclaffent.

À son tour, Caroline en reçoit un dans le dos, puis Vicky, ainsi que les deux autres participantes. En fait, c'est Thomas et son ami, éliminés depuis quelques tours, qui se sont installés près de la caisse d'œufs pour bombarder les filles. Fernando, bien d'accord avec le projet, n'y participe pas concrètement, mais approuve en riant à gorge déployée.

Deux tours plus tard, les filles reçoivent encore un œuf, mais par la tête celui-là. En essayant de rester concentrée sur la réception de l'œuf, Katia promet, impuissante :

— On va se venger tout à l'heure, je vous en passe un papier !

Près d'une heure plus tard, tout le monde se retrouve sur la plage et papote de nouveau, un verre à la main. Les filles, elles, chuchotent près du bar :

— On le fait par-derrière ?

— Non ! non ! Par le devant ! Carrément !

— Moi, je vous laisse faire et je prends les photos, planifie Caroline. Vous avez tout ce qu'il vous faut ? s'informe celle-ci, excitée par leur douce vengeance.

— Oui, madame ! Attrape mon « Kodak », propose Vicky, son appareil étant le plus proche.

L'air de rien, les filles reviennent du bar avec des daïquiris aux fraises dans les mains. Elles se dirigent vers le groupe d'amis habituels. Thomas, confortablement étendu sur une chaise longue, près de son partenaire de voyage, se délecte de la douce vie de vacances. Les filles approchent en souriant.

— Les femmes nous rapportent des *drinks*, le gros ! Elles sont bien domptées, hein !

Rendues presque à leur hauteur, Katia et Vicky font mine de trébucher dans le sable, sans réellement tomber, et renversent sur chacun d'eux trois daïquiris aux fraises bien glacés, mais surtout bien sucrés. Thomas sursaute :

— HÉÉÉÉ !

— CÂLISSE! s'insurge l'ami de Thomas en écartant largement les bras, stupéfait de se faire ainsi attaquer.

Les gars se retrouvent ainsi maculés du nectar glacé rouge et collant. Sans crier gare, ils se lèvent d'un bond pour courir après les fautives, qui décampent rapidement. Les gens autour s'amusent de la plaisanterie. Le tout se termine par une baignade de groupe dans la mer, les filles pour se rafraîchir, les gars pour se nettoyer.

JOUR 7
VOL AQ993
CANCÚN–MONTRÉAL
16 H 58

— C'était trop drôle! Mais on devait absolument se venger. Quand j'ai reçu le premier œuf, ça a vraiment pincé, se souvient Katia.

— Ils étaient jaloux qu'on soit encore dans la course!

— Quand je repense à la dame qui m'a dit: « Il est beau votre danseur! », comme super impliquée dans ma liaison, se remémore Katia.

— Un *resort* de ce genre, c'est comme un petit village. Tout le monde bavasse sur tout le monde! décrit Caro.

— Comme une téléréalité, plutôt! image Katia.

— Revenons à ma fin de soirée catastrophique. Je vais vous montrer une autre belle photo! Mais celle-là, elle « fesse », je vous avertis, enchaîne Vicky, qui continue de chercher sur son appareil.

Comme elle ne l'a pas beaucoup utilisé durant le voyage, les filles n'ont pas encore parcouru ses clichés.

— Une photo de quoi?

— Jugez-moi pas. Promis? s'inquiète Vicky, le regard tout de même amusé de maintenir le suspense.

— Coudonc! Qu'est-ce que t'as fait de si grave qu'on ne sait pas? s'étonne Caroline, en ayant presque peur de connaître la suite.

— Un acte pervers déviant! Il doit y avoir une maladie mentale sexuelle qui décrit ce trouble-là, en rajoute Vicky, en poursuivant ses recherches.

— Hein? En lien avec Dawson ou Pat?

— Le beau Pat... Mais je vais tout d'abord vous rafraîchir la mémoire sur le déroulement de cette soirée-là, en commençant par le début, finit-elle par dire, en mettant de côté sa recherche.

JOUR 6
PLAYA LUNA RESORT
CANCÚN, MEXIQUE

— Il est super gentil, ce gars-là! approuve Caroline.

Celle-ci taquine Vicky qui se fait draguer depuis déjà un bon moment par Patrice, le nouveau venu.

— Je sais... je sais..., lui marmonne-t-elle à voix basse en lui faisant de drôles d'yeux, car elle craint que les Québécois autour décèlent l'allusion peu subtile que Caroline vient de lui faire.

— Hé! C'est pas Bradley Cooper, ça? crie Vicky, en pointant un groupe de gens qui avancent paisiblement sur la plage.

— Hein! fait tout le monde en se tournant sur-le-champ vers la direction indiquée.

Caroline s'amuse de voir tout le groupe tomber dans le panneau de son amie *groupie*.

— Zut! Je me suis trompée! Ce n'est pas lui.

— Eille, pas drôle. Le cœur m'a fait quatre tours! confie une fille tout près d'eux. Dans *Lendemain de veille*, y est-tu assez écœurant?

— Je suis en amour avec! déclare sérieusement Vicky.

— Moi aussi!

— Tut! tut! tut! Voyons donc, les filles, calmez-vous! Il est probablement gai! lance un des gars pour les narguer.

— Comment ça? se désolent les deux admiratrices.

— Hollywood, le *showbiz*... Sont tous gais!

— Pas rapport! Pas MON Bradley!

Katia, qui se trouve depuis déjà un moment avec son mec près de la piste de danse de la plage, crie en direction du groupe :

— ¡Bailamos el merengue![20]

Comme chaque fin d'après-midi depuis le début des vacances, plusieurs touristes motivés se dirigent vers la piste de danse, érigée sur pilotis, afin de se déhancher comme le font les Latino-Américains.

— C'est quoi, encore ? s'informe Patrice à Vicky, un peu confus face à la migration soudaine de nombreux vacanciers vers le bar.

— Youpi ! Un cours de danse ! Viens avec moi, je vais t'apprendre !

— Euh ! Je ne danse pas, moi ! Désolé.

— Oui, oui, oui, tu danses ! Tu ne le sais juste pas encore !

Elle lui agrippe fermement le bras et le traîne dans la foule d'apprentis danseurs frétillants et légèrement imbibés d'alcool. Elle place ses bras dans la position de base. Il reste de glace, bien droit et raide comme un piquet, comme un enfant inconfortable dans ses habits du dimanche. À la dérobée, il observe les danseurs amorcer les premiers pas en suivant le rythme de la musique.

---

20. Dansons le merengue !

— Hish... Non, je t'assure que je ne danse PAS! répète-t-il, en secouant rapidement la tête de gauche à droite, le regard fixé au sol.

Pendant que Fernando explique encore une fois les pas aux nouveaux venus, Vicky entraîne son futur partenaire vers le bar, où elle commande illico presto quatre téquilas citron. Sans rien dire, elle s'enfile les deux petits verres en encourageant gestuellement son ami à faire de même.

— Maintenant, j'te jure que tu danses! annonce-t-elle avec entrain, en insistant pour que Patrice presse le pas puisque la musique est déjà recommencée.

Il se résigne, impuissant, et la suit dans la foule qui se divertit à souhait. Katia, devenue presque la «partenaire de danse officielle de Fernando», tourbillonne avec lui à l'avant du groupe, dans une pure félicité. Caroline se retrouve avec Thomas, son partenaire habituel, histoire de se faire complimenter un peu.

Tout le monde s'amuse follement en cette douce fin d'après-midi.

Assis à la table d'un restaurant italien à la carte, tout le groupe rigole en portant un ixième toast en rafale. Un gars annonce avec tristesse une incontournable réalité et avance exagérément la lèvre inférieure pour faire mine de bouder:

— On part demain...

— Booouuuuh ! font les filles, déçues.

— Moi, c'est juste ma deuxième journée demain, les nargue Patrice, qui semble commencer à être bien rond en cette première journée de vacances bien remplie.

Vicky, qui partage avec lui une bouteille de vin français achetée moyennant un surplus, tente de suivre sa cadence de consommation, mais en vain. Tout le monde se met à prendre des photos de tout un chacun. Des numéros de portable sont échangés et plusieurs envisagent de se revoir au Québec en fixant des dates de rencontre potentielles ; une des filles organisera un barbecue dès le printemps venu, une autre propose un week-end dans un chalet au début d'avril. Vicky en profite pour obtenir subtilement le numéro de portable de Patrice, juste au cas où elle aurait envie de le revoir au Québec. Qui sait ?

— Je vais avoir passé un méchant beau voyage avec vous autres ! confie Thomas, en survolant tout le monde du regard avant de lever de nouveau son verre de vin.

— Yééééé !

— On était vraiment une super belle *gang* !

— Ouuuuuh !

Quelques couples paisibles semblent importunés par les cris d'allégresse et d'enthousiasme du groupe, bien que la table des dix soit placée en retrait, tout au fond du restaurant. Certains se retournent carrément, d'autres font des gros yeux, d'autres encore soupirent bruyamment...

Les assiettes de pâtes qu'apporte le serveur créent de la diversion et calment un tantinet le joyeux vacarme. Vicky, qui aperçoit Patrice vider son verre de vin rouge d'un trait, se permet un commentaire :

— Petit conseil d'amie expérimentée : boit de l'eau entre tes verres, l'alcool frappe fort ici, avec le soleil et tout... On a trouvé assez pénible notre début de voyage à cause de ça, hein les filles ?

— Mets-en ! approuvent Caroline et Katia, qui se lancent des œillades complices.

— Mais vous autres, vous êtes des petites « fe-filles » pas *tough* ! envoie-t-il, rieur.

Sans crier gare, il tente d'ébouriffer les cheveux de Vicky, qui se déplace vers le côté pour ainsi éviter d'être décoiffée.

— Eille ! réplique-t-elle, en repoussant ses mains de son espace vital.

Témoin de cette complicité naissante, Caroline jette un regard coquin en direction de Thomas, qui lui sourit à son tour ; il semble comprendre la raison motivant les yeux moqueurs de son amie.

Katia se penche vers elle pour lui chuchoter :

— Fernando m'emmène dormir chez lui ce soir ! C'est-tu assez culturel à ton goût, ça !

— Assez, oui ! Donc tu ne rentreras pas dormir ! Merci de nous le dire d'avance, pour éviter un autre drame dans le lobby. N'oublie pas qu'on part de la chambre à 10 h demain pour se rendre à l'aéroport.

— Oui, maman Caro! plaisante Katia, en approuvant d'un signe de tête affirmatif exagéré pour faire comprendre à son amie qu'un tel rappel maternel ne s'avérait pas nécessaire.

— Ils ont tous beaucoup de plaisir, hein? commente Thomas à l'endroit de Caroline, qui se tient debout, près de lui, à la discothèque de l'hôtel.

— Qui? Katia et son danseur ou Vicky et le petit nouveau? demande celle-ci en dirigeant en alternance son regard des danseurs qui s'animent sur la piste de danse au couple de «buveurs», debout non loin d'eux, qui s'envoient des téquilas depuis un bon moment déjà.

— Tout ce beau monde-là!

Vicky s'approche justement d'eux.

— Pauvre Thomas! Tu tentes toujours de séduire la belle et inaccessible Caro, hein? lui envoie sans gêne celle-ci, complètement désinhibée par l'alcool.

— Eh oui! Et elle vient une fois de plus de me balayer du revers de la main, sans remords. Je me demandais à l'instant si je devais me mettre à pleurer ici ou si j'allais le faire sur la plage, exagère celui-ci avec une moue boudeuse qui requiert non subtilement la pitié de son entourage.

— Arrête donc! fait Caroline, en lui assénant une légère tape sur le torse.

Patrice, qui ne saisit visiblement pas la plaisanterie sous-entendue, fronce les sourcils et pivote vers Vicky pour la faire danser, toujours aussi maladroitement.

— Il est devenu un grand danseur! lâche Vicky, avant de tournoyer rapidement afin de suivre son cavalier balourd.

Ayant quitté la discothèque sans même aviser personne, Vicky suit Patrice en ignorant où il va. Il semble par ailleurs avoir une idée bien précise en tête. Elle comprend rapidement ses intentions.

— T'es con! On ne peut pas faire ça. C'est pour les personnes âgées à mobilité réduite qui ont du mal à marcher, explique Vicky, sceptique devant le plan sournois de son nouvel ami.

Il vient de s'asseoir sur le siège d'une voiturette de golf abandonnée dans un des chemins du complexe hôtelier. Ces véhicules sont mis à la disposition des gens âgés, quand les employés ne s'en servent pas pour transporter les bagages des voyageurs jusqu'à leur chambre. Les autres personnes ne sont techniquement pas autorisées à les utiliser.

— Embarque, poupée! Che t'emmène faire un grand tour de mon domaine! divague Patrice, en goguette et visiblement excité de réquisitionner illégalement l'engin pour une balade.

Heureux de découvrir que la clé se trouve dans le contact, il la tourne et donne quelques coups de pédale.

— Vroum! vroum! vroum! fait-il en avançant à peine de quelques mètres. Viens!

Amusée par le comportement infantile de Patrice, Vicky prend place docilement à côté de lui.

— Pas trop vite, chauffeur! le met-elle en garde en s'accrochant à l'habitacle, car il vient de démarrer en trombe avant même qu'elle n'ait eu le temps de terminer sa phrase.

— Vroum! vroum! claironne de nouveau Patrice, qui se cramponne derrière le volant comme s'il pilotait une formule 1.

Il s'engage dans une courbe avec difficulté, car il connaît à peine les sentiers qui sillonnent le complexe. Il donne même quelques coups de volant brusques pour éviter de plonger littéralement dans le paysage. Malgré son geste, les roues du côté de sa passagère roulent sur le gazon, y laissant quelques traces visibles.

— Dooooucement! le prie Vicky, toujours soudée à l'armature de la voiturette à aire ouverte.

— Allons faire des beignes sur la plage! propose stupidement Patrice, en s'engageant sur le chemin menant à la grève.

— Tu ne pourras pas descendre jusqu'au bout! Tu vas tomber dans les escaliers, lui précise Vicky, de moins en moins emballée par la tournure du projet.

— On y arrivera, crois-moi...

Avant même qu'il ne termine sa phrase, un agent de sécurité apparaît dans le sentier. Il les fixe avec sa lampe de poche et leur crie très fort:

— HÉ!

— Ah non! Attention! s'égosille à son tour Vicky.

— OOOOHH! rugit Patrice.

Ce dernier doit tourner violemment le volant pour éviter de frapper l'homme de plein fouet.

PAF! POUF! BANG! BOUM! La voiturette percute un grand palmier fièrement dressé sur le terrain qui longe le chemin. Vicky fait un bond abrupt vers l'avant et aperçoit le gardien galoper vers eux en cinquième vitesse. Elle hurle:

— Vite!

Elle sort précipitamment du véhicule pour fuir dans le sens inverse de l'agent. Patrice la suit, riant aux éclats. Le gardien ne les pourchasse pas, mais se dirige plutôt vers la voiturette pour constater son état.

En pénétrant dans sa chambre, Patrice s'enfarge dans les fleurs du tapis et trébuche presque dans l'entrée. S'amusant de sa maladresse, mais aussi de leurs âneries, Vicky le met en garde :

— Attention !

— Sti que ch'était drôle ! rigole Patrice, en s'approchant de Vicky avec des intentions non cachées.

Le couple s'embrasse maintenant à pleine bouche.

— Le Sud, ch'est la grosse cochhhe ! râle-t-il en émettant un hoquet peu discret. Exchuse-moi ! glousse-t-il, en tâtant à l'aveuglette le mur adjacent pour atteindre l'interrupteur du plafonnier.

Le couple tente de se déshabiller de peine et misère. Dans une chute prévisible, il tombe à la renverse sur le lit, en éclatant de rire de nouveau.

JOUR 7
VOL AQ993
CANCÚN–MONTRÉAL
17 H 01

— Hish ! C'était tellement scolaire, notre affaire ! Deux enfants ! se rappelle Vicky, tout en recherchant la photo-choc sur son appareil.

— C'est long ! Je ne comprends toujours pas c'est quoi cette fameuse photo-mystère ? s'impatiente Katia, avide de voir ledit cliché.

Les deux filles, pendues à ses lèvres, se délectent à l'avance du contenu prétendument très croustillant de cette photo. Vicky la trouve et la cache avec sa main, avant de lever les yeux vers ses amies ; le regard sévère, elle semble hésiter à la leur montrer. Elle place finalement l'appareil devant Katia pour permettre un accès visuel à toutes.

— Mon Dieu Seigneur ! commente Caroline, en portant la main à sa bouche, en voyant la photo explicite de Vicky.

— *MY GOD !* s'étouffe Katia, lorsque son amie approche l'appareil dans sa direction.

Trois passagers de la rangée voisine se retournent, dont la dame qui regarde vers elles en rouspétant depuis le début du vol.

— Excusez-nous, regrette Katia, une main en l'air en réalisant du coup leur éclat sonore.

Les trois amies reprennent leur conversation en chuchotant, toutes penchées vers Katia, assise au milieu. Elle fixe encore la photo, comme pour être certaine du reflet qu'elle renvoie. Caroline n'en revient tout simplement pas :

— C'est inhumain, cette affaire-là !

— Un vrai handicap physiologique ! T'as raison, ça «fesse» et c'est le cas de le dire !

— Au départ, je ne voulais pas vous la montrer… En voyant ça, je me suis dit : «Faut que je montre ça à ma cousine Jasmine ! Elle va rire.» Mais comme on disait, au point où on en est rendues dans nos révélations, aussi bien la partager avec vous aussi ! commente Vicky, en souriant en coin, les yeux rivés sur le petit écran.

— Tu devais nous faire voir ça, certain ! reprend Katia, en approchant davantage l'appareil photo de son visage.

— Il t'a fait mal avec ça, c'est sûr !

La photo, un peu sombre, illustre le grand Patrice, couché sur son lit, nu et endormi, les bijoux de famille bien en vue. Son pénis, disons-le, très développé et long même au repos, lui remonte presque à la hauteur du nombril.

— Il m'aurait fait mal oui, si on avait...

— Ah ! Vous n'avez pas..., répète Katia sans terminer sa phrase elle non plus.

— Disons que son organe géant n'a pas bien fonctionné, aussi imposant soit-il..., explique Vicky, désolée pour lui et un peu gênée de dévoiler ce détail à ses copines. Il a fini par s'endormir en pleine séance de préliminaires.

— Et c'est là que tu as attrapé ton appareil pour immortaliser ce gigantesque phallus ! en déduit Katia, en agrandissant les yeux démesurément en direction de ses amies. T'es certaine que c'est vraiment au repos, repos, ça ?

— Oui, madame ! Il ronflait tellement il dormait à poings fermés ! Ma cousine Jasmine va être crampée !

Les filles fixent encore le cliché pendant de longues secondes, en silence. Comme elles semblent toutes se rendre compte qu'elles s'avèrent un peu trop hypnotisées par l'engin en question, Caroline change subitement de sujet.

— Coudonc! Et toi, Kat? On n'en a pas trop reparlé. Raconte-nous ta fin de soirée d'hier: le danseur, prise deux! Tu ne devais pas aller dormir chez lui?

— Ah oui! Ça n'a pas fonctionné, finalement. Donc ce fut plutôt: buanderie, prise deux! râle Katia, en extase. Mais comme vous en connaissez la fin..., ajoute-t-elle, en troquant drastiquement son attitude emballée pour un air plutôt préoccupé.

— C'est vrai... Ça a encore mal fini, votre affaire, se souvient Vicky.

JOUR 6

PLAYA LUNA RESORT
CANCÚN, MEXIQUE

— *¡Te quiero, mi amor!*[21] susurre tout doucement Fernando à l'oreille de Katia, en descendant le fameux escalier menant à leur nid d'amour, c'est-à-dire la salle de lavage.

---

21. Je t'aime, mon amour.

— C'est tellement *sexy* quand tu parles en espagnol! Continue..., répond celle-ci en anglais, en roucoulant de plaisir.

— ¡*Son tus ojos dos estrellas!*[22] poursuit le danseur, conscient de l'impact positif de son discours sur sa partenaire.

— ¡*Mas!* ¡*Mas!*[23] le prie encore Katia, en inclinant sa tête vers l'arrière, dans un gazouillement explicite.

— ¿*Quieres bailar conmigo?*[24]

— ¡*Si!*

Fernando dépose son sac, contenant encore une bouteille de rhum et du cola, afin de saisir fermement sa partenaire par la taille. Sur un fond musical provenant toujours du hall, le couple se déhanche langoureusement en s'embrassant. Ils prennent finalement une pause pour se servir un verre. Pendant que Katia s'acquitte de la tâche, elle est assaillie par les baisers de son compagnon; ce dernier semble avoir un autre projet en tête que «prendre un verre». Elle lui souffle quelques mots doux à l'oreille tout en frissonnant de plaisir. Puis elle délaisse temporairement son poste de barmaid pour se retourner vers lui, le regard languissant. La scène qui suit met en vedette le couple qui,

---

22. Tes yeux sont comme deux étoiles!
23. Encore! Encore!
24. Tu veux danser avec moi?

pressé par un puissant désir sexuel, se dévêt et se caresse jusqu'à atteindre l'extase.

— *¡Caliente!*[25] commente Fernando, enivré.

Le couple, en levrette, se retrouve appuyé contre la table. Fernando, alerte, cesse d'un seul coup son va-et-vient après avoir entendu la porte s'ouvrir doucement. L'intrus la referme aussitôt, et le couple entend des bruits de pas remonter rapidement l'escalier.

— *¡Maldito Dios!*[26] blasphème Fernando, en fixant désespérément la porte.

Katia reste dans sa position, nue, l'air désolé, consciente des répercussions que cela risque d'entraîner pour lui, une fois de plus.

— Ah non, pas encore ! se déçoit-elle en relâchant les épaules.

JOUR 7
VOL AQ993
CANCÚN–MONTRÉAL
17 H 06

— Cibole ! Ça te détériore une ambiance pas à peu près, suppute Vicky, compatissante face à son amie dont la fin de soirée a été, une fois de plus, gâchée.

---

25. Chaud !
26. Maudit !

— J'ai tenté de le rassurer pendant quelques minutes, mais je ne savais pas trop quoi dire, en réalité. C'était probablement une femme de chambre qui n'avait pas terminé son *shift*, explique celle-ci.

— T'es retournée à notre chambre, à ce moment-là?

— Non, il est finalement revenu à la charge, en disant: «Au moins, si je perds mon job, il faut que ça en vaille la peine!» Puis on a baisé deux fois de suite comme des bêtes! Sur le tas de couvertures, sur la table, partout, mais il semblait un peu moins dedans. J'espère tellement qu'il ne perdra pas son emploi. En tout cas, ce matin, après m'avoir dit au revoir, il n'avait pas entendu parler de rien encore...

— Je suis certaine que ça ira! tente de la rassurer Caroline, consciente que son amie doit se sentir coupable du sort de son flirt de vacances.

— C'était tellement *cute* quand il est venu te kidnapper, ce matin! souligne Vicky, rêveuse, en battant des cils.

— Bah! «*Cute*», c'est relatif, rectifie Katia, qui n'a pas encore raconté à ses amies le déroulement de leurs «adieux».

— Quoi? Comment ça s'est passé?

— T'étais triste..., présume Caroline, attendrie.

— Oui et non. Ç'a comme pris une tangente un peu bizarre...

JOUR 7

PLAYA LUNA RESORT
CANCÚN, MEXIQUE

— Peux-tu faire le tour pour t'assurer que nous n'avons rien oublié dans la salle de bain, insiste Caroline à l'endroit de Katia qui se trouve justement dans ladite pièce.

Avec une nostalgie manifeste, les filles bouclent leurs bagages en essayant de ne rien laisser dans la chambre.

— Tu rapportes ton chapeau mexicain?

— Ark! Non, je ne sais même pas encore comment j'ai pu acheter ça. Et surtout le porter! réfléchit Vicky, en toisant le couvre-chef, la langue sortie.

— Je vais le ramener à mon gars, décide alors Caroline, certaine que cela l'amusera.

À force de tourner l'immense chapeau dans ses mains, elle se ravise finalement:

— Ah non! Oublie ça, c'est trop gros et ça ne se plie pas. Il faudrait que je le traîne dans mes mains pendant tout le voyage de retour.

— On dirait que je ne suis même pas si déçue que ça de partir, avoue Vicky à ses amies.

— Ah moi, je suis triste! précise Katia, une mine déconfite sur le visage.

— Moi, je sais pas trop. Je suis super fatiguée en tout cas, évalue Caroline en tentant de peine et misère de fermer sa valise qui semble plus remplie qu'avant le départ.

— T'as acheté trop de souvenirs ?

— Il me semble que non, mais ça ne ferme plus, affirme celle-ci.

La fermeture à glissière continue de bâiller malgré ses efforts, car elle reste coincée dans la toile de son fameux casque antimoustique.

— Laisse cette horreur ici, la harcèle Vicky, en voyant un bout de l'horrible chose dépasser de la valise de son amie.

— Oui ! Pourquoi pas ? Ça peut leur servir plus qu'à moi ! approuve Caroline.

En moins de deux, elle libère l'objet et le lance sans précaution sur le lit, tout près du sombrero.

— La femme de chambre aura deux chapeaux comme pourboire !

— C'est vrai, il faut laisser un pourboire, en plus... En tout cas, « tout inclus » tant que tu voudras, il me semble que j'ai dû sortir de l'argent de mes poches toute la semaine ! rage Vicky, qui a dépassé largement, et depuis longtemps, son budget de départ.

En silence, les filles effectuent le tour de la grande pièce et en inspectent chaque recoin, à la recherche d'effets personnels égarés.

— Il y a un string, là! aperçoit Caroline, en désignant un morceau de tissu qui croupit au sol, entre les deux lits.

— Ah, c'est à moi, affirme Katia, visiblement sans entrain.

Celle-ci s'affale sur le lit en soupirant, tenant le vêtement entre ses doigts. Sensibles à son air abattu, ses amies s'approchent et s'assoient chacune à côté d'elle. Une larme roule doucement sur sa joue.

— Ah, ma pitoune! la réconforte Vicky, en la prenant dans ses bras.

— Je ne suis juste pas bonne avec les au revoir. Et là, en plus, c'est un adieu définitif. Je ne vais assurément jamais le revoir de ma vie, ce gars-là. Je me sens tellement idiote, je le connais depuis à peine six jours.

Le fait de serrer son amie dans ses bras fait monter chez Vicky une émotion mélancolique. Les yeux remplis de larmes, celle-ci déclare:

— Tu perds ton mec d'ici, et moi je perdrai le mien dès que je mettrai les pieds au Québec...

— Aaaahh! Vicky, ce n'est pas certain ça, tente de l'encourager Caroline en lui caressant le dos, son bras passant derrière Katia.

Silence platonique. Caroline, maintenant les yeux embués elle aussi, zieute ses amies en haussant les épaules, consciente que rien de vraiment concret ne peut justifier sa peine.

— Tu t'ennuies de ton *chum* pis de ton gars, hein...

Celle-ci acquiesce de la tête et tente d'essuyer du revers de la main les quelques larmes qui glissent sur ses joues.

— On est toutes épuisées, je pense, affirme Katia, qui se lève pour saisir un mouchoir afin de sécher ses larmes.

— Puis on travaille lundi !

— Oui, et je vous rappelle que l'année scolaire est encore loin d'être terminée...

Lorsqu'elles arrivent dans le hall pour remettre les clés et les serviettes à la réception, une longue file de vacanciers sont déjà en ligne.

— Pfft ! souffle Caroline, découragée.

Celle-ci adresse un sourire en coin à Thomas, qui fait la queue lui aussi puisqu'il rentre par le même vol.

— Tout le monde semble « *feeler* » moins *party* aujourd'hui qu'hier, on dirait..., remarque Vicky, en constatant le stoïcisme de la plupart des touristes qui, la veille encore, se dandinaient fougueusement sur la piste de danse de la discothèque.

— Il n'y a pas de petits cocktails de départ ou de musique exotique quand on quitte l'hôtel, hein ! remarque Caroline, en analysant l'ambiance.

— Non, sacrez votre camp ; on vous a assez vus, bande de demeurés ! traduit Katia.

Comme il n'est que 10 h du matin et que la nuit a été courte pour tout le monde, le port des lunettes de soleil à l'intérieur semble un *must*, ce matin. Katia, la tête en l'air, balaye latéralement l'endroit du regard. Fernando, vaquant à son travail non loin d'eux, lui gesticule un signe discret pour lui indiquer de venir le rejoindre.

— Je vous laisse ma valise. On n'a pas besoin d'être trois pour le *check out*, de toute façon. Je vais aller lui dire «bye».

Vicky approuve, puis elle lui effleure le bras en signe d'encouragement. Elle rapproche sa valise de la sienne, de façon à pouvoir les déplacer simultanément dans la file.

— *¡Hola, amor !*[27]

— *Hola...*, répète Katia, le visage un peu triste.

---

27. Bonjour, amour !

— *¡Vienes!*[28] enchaîne-t-il, en la prenant discrètement par la main.

Il l'entraîne vers le stationnement et le bâtiment principal, dans le terrain pentu qui héberge un immense compresseur entouré de quelques palmiers rabougris et moins bien entretenus, parce que non visibles de l'hôtel. Il reste silencieux, épie autour de lui et l'embrasse passionnément, en lui tenant le visage dans le creux de ses mains. Sous la force de son geste, elle bascule un peu vers l'arrière, de sorte que son dos vient s'appuyer contre un des palmiers desséchés. Trouvant son « au revoir » plutôt intense, elle se dégage doucement et lui déclare en anglais :

— J'ai vraiment passé une belle semaine avec toi, Fernando. Merci.

— On se revoit quand, *amor* ?

— Euh…

— Tu vas revenir quand ?

— Euh…

La voyant hésiter, il sort de sa poche arrière une petite enveloppe, sur laquelle est inscrit son nom.

— Ne la regarde pas maintenant, lui prescrit-il.

---

28. Viens !

Il saisit de nouveau son visage et l'embrasse avec encore plus d'effusion, sa langue bien enfoncée dans sa bouche.

Le visage humecté jusqu'au nez, Katia réfléchit : «Il embrasse encore plus étrangement à jeun, lui...»

Fernando la retient fermement pour l'enlacer une fois de plus, mais elle se défait de son étreinte pour lui demander :

— Tu n'as pas entendu parler de la mésaventure d'hier soir ?

— *No*..., répond-il, évasif, en l'agrippant pour glisser de nouveau sa langue au fond de sa gorge.

— Bon, je dois y aller maintenant...

Elle se dégage doucement de l'étau de son amoureux.

— *Te quiero*[29]..., affirme-t-il, désemparé, les larmes aux yeux.

«Ben là, j'étais nostalgique de le quitter tout à l'heure, mais pas au point de se pleurer dans les bras pendant une heure, quand même...», songe-t-elle, en s'éloignant de lui, le regard toujours attaché au sien. Avant qu'elle ne parte retrouver ses amies, il avance de nouveau vers elle pour l'embrasser. «Misère...» À peine l'a-t-il effleurée de ses lèvres qu'elle ferme les siennes pour échanger un

---

29. Je t'aime...

petit bec sec. Elle lui répète une fois de plus qu'elle doit partir. Il reste là, l'air abattu, et agite la main à la hauteur de son épaule en la regardant s'en aller.

«Bon sang, il est vraiment intense, lui...», pense-t-elle en considérant la lettre mystérieuse dans ses mains.

JOUR 7
VOL AQ993
CANCÚN–MONTRÉAL
17 H 14

— Ce n'est pas que je n'aime pas les hommes émotifs, mais depuis le début, je le trouvais si puissant, si indépendant, si mâle, et là, il faisait tellement pitié ; comme trop touché par mon départ, vous comprenez.

— C'est un peu *turn off*, un homme trop dépendant !

— La lettre disait quoi, au juste ?

— Hein ! C'est vrai, réagit Katia, en sortant l'enveloppe toujours cachetée de son bagage à main. Avec la folie du départ dans le lobby, j'ai comme complètement oublié !

— Ouvre ! la presse Caroline, curieuse d'en connaître le contenu.

Elle déchire grossièrement l'enveloppe et en retire une feuille blanche pliée. Elle l'ouvre doucement, accompagnée par le regard interrogateur de ses amies. Elle sourcille :

— Hein ?

— C'est euh..., réagit Caroline, sans trop savoir de quelle façon commenter cette missive d'amour.

— Ouin, c'est..., ajoute Vicky, pas certaine non plus du qualificatif adéquat à utiliser.

Katia fait part, finalement, de son impression :

— C'est scolaire ben raide, son affaire! Le papillon, la fleur, quessé ça? Quétaine!

— C'est une culture... différente, hein! enchaîne Caroline, pour rester tout de même polie devant le message enfantin de Fernando.

— Bizarre. T'es certaine qu'il ne niaisait pas...

— Il n'avait pas l'air de blaguer du tout. Voyons donc! Ça ne peut pas être le même gars qui me soulevait sauvagement sur la table de la buanderie pour me baiser qui a dessiné ça? réfléchit Katia à haute voix, assommée par la situation.

Elle lit tout haut la première phrase :

— «*I love you my love*»... Ayoye !

— Les deux rangées de becs à la fin... Hish..., critique Vicky, en grimaçant.

— Sérieux : j'entretenais de plein gré un fantasme sexuel par rapport à ce danseur de merengue, viril et puissant ! Crisse, il dessine des papillons ! s'exclame Katia, pour faire rire ses amies.

— J'aurais vraiment aimé ça, moi, que Pat vienne me porter une lettre avec des fleurs puis des papillons, ce matin ! rage Vicky, en croisant les bras.

— Ouin... C'est drôle, je n'en suis pas certaine, doute Caroline.

— Il va faire le saut en s'il vous plaît quand il va écouter le message que je vais lui laisser dans sa boîte vocale, dès qu'on met les pieds sur la terre ferme ! promet Vicky, en dressant son index en guise d'appui à sa menace.

— Tu as tout à fait raison ! Tu ne peux pas laisser la situation comme ça de toute façon, approuve Caroline, scandalisée par la dernière mésaventure de son amie, laquelle s'avère lourde de conséquences.

— Crois-moi sur parole que ça n'en restera pas là !

JOUR 7

PLAYA LUNA RESORT
CANCÚN, MEXIQUE

Vicky et Caroline, qui attendent toujours en ligne pour signer le registre de départ, s'impatientent, tantôt en soupirant bruyamment, tantôt en roulant des yeux pour exprimer leur exaspération. Leur tour venu, Vicky, expéditive et grognonne, prend en charge la restitution des biens de l'hôtel. Elle dépose donc les trois serviettes et les cartes magnétiques sur le comptoir. La préposée s'en saisit en lui souriant, les yeux toujours rivés sur son ordinateur. Elle lui demande en anglais :

— Voulez-vous payer avec Visa ou MasterCard ?

— Payer quoi ? se surprend Vicky, convaincue que la Mexicaine fait une erreur.

— J'ai une facture attachée à la note de votre chambre, annonce-t-elle.

Puis elle s'éloigne pour montrer la feuille qu'elle vient d'imprimer à un homme qui semble être le superviseur. Ce dernier décide de prendre le cas en main, et prie poliment les filles de le suivre au bout du comptoir, pour permettre à la réceptionniste de poursuivre avec les autres clients qui attendent. Vicky plisse des yeux en direction de Caroline, les épaules dressées haut en signe d'incompréhension totale.

— Vous avez signé une feuille de consentement à votre arrivée, stipulant que tout bris matériel dans votre chambre ou sur le site de l'hôtel vous serait facturé ?

— Oui.

— C'est en effet exact. Mais on n'a rien brisé dans la chambre ! s'oppose Caroline, qui s'adresse à Vicky en français. Avant de partir, il y a vingt minutes, tout était correct...

Ce qu'elle répète en anglais au superviseur, qui semble en douter. Katia, qui revient après avoir quitté Fernando, se place entre les deux filles pour savoir où elles en sont rendues. Voyant que la situation semble confuse et que les filles sont énervées, elle s'informe, à voix basse :

— Qu'est-ce qu'il y a ?

— Il dit qu'on a brisé des trucs dans la chambre !

— Non, une voiturette électrique, rectifie l'homme, en voyant le désarroi de ses clientes.

Un gardien de sécurité, posté en sentinelle derrière le superviseur, les bras croisés et bien serrés contre sa poitrine, échange quelques mots en espagnol avec lui pour ensuite pointer Vicky de son index. Le gérant lui tend alors la facture pour qu'elle l'examine.

— VOYONS ! CALVAIRE ! crie Vicky, en voyant que l'établissement lui réclame le montant de 500 $ US.

Heureusement, presque tous les touristes québécois qui embarquent sur le même vol qu'elles se trouvent déjà dans l'autocar.

— Voyons donc! s'oppose à son tour Katia, en levant les bras.

— Je n'étais pas au volant de la voiturette! explique Vicky au superviseur, qui demande alors de nouvelles informations en espagnol au gardien de sécurité.

En parlant plus haut que tout le monde, Katia tente de démêler les faits, tels que rapportés par son amie. L'agent de sécurité, énervé à son tour, s'adresse de nouveau au superviseur, qui se retourne vers les filles.

— Désolé, madame. Le gardien n'a aperçu que vous. Il n'a pas vu que vous étiez avec quelqu'un d'autre. Vous devez payer le montant total maintenant, sinon l'autocar ne vous emmènera pas à l'aéroport.

— Pardon? Ah non! Il a bien vu que j'étais avec quelqu'un, voyons. On est passés à trois centimètres de lui! enrage de nouveau celle-ci, en implorant des yeux le gardien de dire la vérité.

Elle supplie Katia de faire quelque chose. Celle-ci spécifie qu'un autre vacancier était incontestablement avec Vicky. Le gérant se tourne vers l'agent, qui fait catégoriquement non de la tête, toujours dans une posture parfaitement droite en fixant l'accusée.

— C'est une arnaque! hurle Katia, les baguettes en l'air.

Caroline se met à angoisser en jetant un regard en direction de l'autocar, prêt à partir. Tous les passagers observent la scène par les fenêtres. Le chauffeur s'approche du véhicule, sûrement pour y monter.

— On va manquer notre bus, les filles !

— Patrice... Regardez parmi les noms de votre liste. Ce vacancier est arrivé hier. C'est lui qui conduisait le véhicule, l'implore Vicky en épelant clairement le nom du fautif.

Le superviseur interroge la réceptionniste, qui cherche alors dans ses fichiers pendant à peine quelques secondes. Elle secoue la tête, en fixant toujours son écran.

— Vous avez un Patrice d'inscrit quelque part, c'est sûr, voyons ! s'emballe de nouveau Vicky, hors d'elle, qui ne se souvient plus du numéro de chambre de l'auteur de tout ce trouble. C'est la chambre au bout, là-bas, dans ce corridor-là...

La Mexicaine refait un signe de tête négatif avant de s'éloigner du comptoir, l'air agacé devant l'insistance de Vicky. Le superviseur s'impatiente à son tour :

— Le bus va partir dans deux minutes. Si vous restez ici, vous devrez vous rendre à l'aéroport par vos propres moyens...

— Laissez-moi courir à sa chambre, le supplie Vicky, totalement désemparée.

Le refus de l'homme reste catégorique, ce dernier alléguant que le bus doit partir maintenant.

— Eille! J'en reviens pas! fait Vicky, en se retournant vers ses amis, complètement révoltée.

— T'as son numéro de cellulaire? Tu tenteras de le rejoindre au Québec, il ne faut pas qu'on manque notre bus! s'écrie Caroline, consciente qu'elles doivent absolument partir, malgré les ennuis de son amie.

Dans une rage contenue, mêlée à un sentiment d'impuissance totale, Vicky sort une carte Visa de son sac à main en secouant la tête. La réceptionniste effectue la transaction, l'air sévère, le regard franc. En signant, Vicky ronchonne sarcastiquement:

— Cinq cents dollars... Vous allez partager ça à deux ou à trois? À moins que vous soyez de connivence avec le faux village de pauvres? Cinq cents dollars... Coudonc, y était en or, calvaire, pis j'ai pas remarqué ça? Des sièges en satin, peut-être? C'était un kart de golf Audi?

Puis les filles se dirigent d'un pas rapide vers l'autobus pour y déposer leurs valises. En y entrant, et en guise d'explication, Vicky, toujours furieuse, peste en direction des passagers qui la dévisagent:

— Mexique de marde!

Tous les vacanciers chuchotent entre eux. Ils semblent se demander ce qui a pu arriver aux trois gentilles filles qu'ils ont rencontrées durant leur voyage. En passant près d'un couple, Caroline entend une femme murmurer à son conjoint: «Ce doit être à cause de l'incident survenu sur la plage avec l'iguane...»

JOUR 7
VOL AQ993
CANCÚN–MONTRÉAL
17 H 23

— On arrive-tu que je l'appelle, le beau Pat! raille Vicky, prête à éclaircir la situation, bien que l'avion soit encore en plein vol.

— Il va payer avec toi. C'est clair, voyons donc! essaie de la rassurer Caroline.

— Pfft! Il va TOUT payer! C'était son idée! Eille, moi qui faisais déjà un trou dans mon budget avec ce maudit voyage là! stipule Vicky, catégorique.

— Même si tu l'appelles en arrivant, il ne va probablement pas être en mesure de répondre de là-bas avec son portable, l'avise doucement Katia, pour la préparer mentalement à cette possibilité.

— Je crois qu'il avait un forfait «accès à l'étranger».

— Il t'a ajoutée sur Facebook, au moins?

— Non, il n'avait pas de connexion Internet sur son cellulaire. On s'était dit qu'on le ferait en revenant.

— Ça va s'arranger, Vic!

— J'espère, parce que ça s'ajoute au surplus déboursé pour la valise; je n'arrive plus du tout dans le budget!

— Mexique de marde, hein! blague Katia, pour tenter de faire rire son amie.

— Salut, les filles! les aborde soudainement un gars debout dans l'allée centrale.

— Tiens, voilà mon *chum*! le salue en retour Katia, en poursuivant toujours le *running gag* échangé depuis le début du voyage.

— Ça va, ma chérie?

— Bon, «ma chérie», maintenant! Vous voyez que notre relation, c'est du solide! En fait, moi aussi je vais t'appeler chéri étant donné que je ne sais toujours pas ton nom, s'amuse Katia en riant, toujours impuissante devant sa mémoire défaillante.

— Tu ne lâches vraiment pas ton rôle de fille qui fait semblant de ne se souvenir de rien, hein! admire presque le gars, diverti par sa ténacité.

— *Anyway!* On s'appelle, plaisante Katia, en lui faisant un clin d'œil.

— *Yes!* J'ai ton numéro! Tu me l'as donné ce soir-là, déclare-t-il en lui renvoyant son clin d'œil.

Sans rien ajouter, il poursuit son chemin vers la toilette.

— Il a mon numéro en plus? chuchote Katia en direction de ses amies, abasourdie par ce dernier détail. Pour lui remettre mon numéro, j'ai «*frenché*» avec, c'est certain. Pfft!

— Il est *cute*, c'est pas grave !

— Je sais, mais je suis juste pas fière de mon amnésie partielle.

— Ce voyage-là fut normal vraiment juste pour toi, Caro, ajoute Vicky, en guise de conclusion à toute cette saga.

— Ben là, n'exagérons pas ! Je n'ai jamais bu autant d'alcool en sept jours de toute ma vie !

— Justement ! La seule chose que tu as faite de pas correcte, c'est de boire un petit peu trop. Quand même ! C'est pas pire, comparé à nous autres. Eille ! J'ai dansé sur un bar sans soutien-gorge, j'ai fait un *trip* à trois avec un couple de quinquagénaires *losers*... Et le clou, il y a un inconnu qui «*trippe*» sur moi en prétendant que je lui ai fait des trucs sexuels complètement inusités, sans que je me souvienne de rien... C'est-tu pas beau comme résumé de voyage, ça !

Caroline n'a pas le temps de répondre quoi que ce soit que Vicky, aussi scandalisée, poursuit dans la même veine.

— J'ai baisé sans condom dans la mer avec monsieur «graine communautaire» en personne, j'ai détruit un kart de golf avec un autre gars, et tout ça, en ayant un homme dans ma vie qui doit déjà le savoir... grosse charrue ! Et je passe les détails concernant mon cancer de peau quasi assuré ainsi que l'épisode où un lézard géant a failli me bouffer la moitié de la face, sans compter qu'à ma grande joie, ma Visa est maintenant «*loadée*» du double du prix réel du crisse de voyage, dépeint Vicky, qui ne sait pas si elle doit pleurer de nouveau ou simplement dédramatiser la situation.

— Toi, Caro, t'as donné héroïquement ton boléro à une fille en détresse pleine de merde et t'as un petit peu trop bu...

— Elle a aussi chié dans le bain. Et... que dire des tresses..., ajoute Vicky, à voix basse, pour ne pas offusquer son amie, qui déteste déjà tellement sa coiffure.

— Des petits détails de rien du tout! Ça, c'est parce que t'es une bonne personne, parce que t'es équilibrée; on a ce qu'on mérite dans la vie! justifie Katia en se tapant de nouveau sur la tête.

Caroline ne répond pas. Elle ne sourit pas non plus. Elle tourne plutôt la tête vers le hublot. Vicky lance des yeux interrogateurs en direction de Katia. Le regard de Caroline reste fixé aux nuages qui défilent dans le petit orifice rond. Les filles l'entendent alors renifler.

— Caro? l'appelle doucement Vicky, déconcertée par la peine soudaine de son amie.

Le simple fait d'être interpellée la rend encore plus émotive: Caroline éclate réellement en sanglots. La femme assise à l'avant se retourne en entendant de nouveau quelqu'un pleurer. Les deux filles demeurent interloquées quant à la raison rendant leur amie si triste. D'un mouvement de tête, Caroline chasse ses tresses vers l'arrière et se retourne vers ses amies, les yeux rougis, l'air complètement abattu. Vicky, qui semble tout à coup comprendre, n'ose pas faire part de son impression à voix haute. Caroline vient à son secours et nomme tout simplement :

— Thomas...

Pour l'encourager à poursuivre son idée, Katia répète, mais par une question :

— Thomas quoi ?

Caroline approuve d'un signe de tête, en échappant des larmes de plus belle.

— Capote pas, Caro ! Quoi ? Il t'a «*cruisée*», t'as aimé ça et tu te sens coupable ? Ce n'est pas un drame, la rassure Vicky en lui caressant le bras par-dessus Katia, assise au milieu. Voyons, tu es en couple, oui, mais humaine aussi.

Elle renifle de nouveau en prenant un papier-mouchoir dans son sac à main. Elle lève ses grands yeux pleins de tristesse vers ses amies afin d'y trouver un certain réconfort.

— Les filles... je suis une pas fine...

— Quoi ? Tu penses beaucoup à lui ? tente Katia, qui doute que ce soit juste l'hypothèse de Vicky qui la met dans cet état.

— Ce que je vais vous raconter s'est produit le troisième jour, lorsqu'on les a rencontrés sur la plage..., commence Caroline, avec un sérieux désarmant.

JOUR 3

PLAYA LUNA RESORT
CANCÚN, MEXIQUE

— Tu fais quoi, dans la vie ?

— Je prends un verre avec une belle fille sur une plage paradisiaque de Cancún !

Caro pouffe de rire, à la fois gênée et amusée par la spontanéité de l'homme.

— Je veux dire, dans la vraie vie au Québec !

— Ah, OK, la question n'était pas claire ! Je suis avocat.

La discussion va bon train jusqu'à ce que les autres reviennent de leur baignade.

— Bon, viens, c'est à notre tour, il fait chaud ! propose Thomas, qui invite Caroline à se joindre à lui dans son escapade à la mer.

— Je vais au bar et je paie une tournée ! Ha ! ha ! ha ! Qu'est-ce que je vous rapporte ? Des daïquiris aux fraises ? demande une jeune Québécoise blonde qui semble voyager seule.

Caroline, qui s'éloigne avec Thomas, ne répond pas à la question de Sharon.

— C'est tellement beau ! s'exclame-t-elle en pénétrant dans l'eau salée translucide.

— Mets-en! plaisante Thomas, qui détaille Caroline de haut en bas au lieu d'apprécier le panorama.

— Es-tu tout le temps aussi peu subtil?

— Hum... Je pense que oui.

Elle roule des yeux en sa direction avant de le défier:

— On avance vers les grosses vagues?

Il la suit en plongeant la tête la première dans la mer tiède pour se rafraîchir de la chaleur suffocante de Cancún. Afin de bien voir venir les vagues, ils se tiennent debout, dos à la plage.

— Oh, celle-là est grosse! se réjouit Caroline, en tentant de sauter en même temps que la vague pour ne pas se faire happer de plein fouet.

— Ohhhh! s'amuse Thomas, qui se fait éclabousser le visage en riant.

— Regarde la prochaine! s'excite Caroline, en voyant la lame arriver à une hauteur vertigineuse, avant de rouler sur eux et de se briser dans un puissant bouillon blanc.

Elle bondit de façon latérale dans le rouleau pour éviter de recevoir trop d'eau salée dans les yeux. Pour la faire rire, Thomas fonce volontairement dans la vague, en feignant d'avoir été emporté contre son gré par celle-ci. Lorsque sa tête émerge à la surface, Caroline le met en garde:

— Arrange-toi pas pour que je doive te ramener dans mes bras sur la grève.

— Je veux que tu me fasses le bouche-à-bouche, c'est pour ça !

— Franche..., vient pour rajouter Caroline.

Elle n'a pas le temps de terminer sa phrase qu'elle se fait violemment harponner par le solide tourbillon qui arrivait résolument sur eux. Thomas, qui a chevauché avec brio la vague, observe en direction de Caroline pour voir où celle-ci a disparu. Comme elle a été submergée au complet, il aperçoit son bras surgir de l'eau, suivi ensuite de son genou. À l'évanouissement du rouleau, Caroline ressort de l'eau légèrement secouée, en prenant une bonne respiration. Elle toussote quelque peu puis tente de dégager ses voies respiratoires de l'eau salée qu'elle a avalée.

— *Oh boy!* se moque Thomas, qui voit apparaître au loin une autre vague, qui s'avère énorme. Attention à la prochaine !

À peine remise de ses esprits, Caroline, alerte, saute dans la vague pour ne pas se retrouver encore une fois au fond de l'océan. Profitant d'une accalmie de quelques secondes, elle se tourne vers Thomas en lui faisant une drôle de moue, mais tout de même amusée de l'aventure. Celui-ci l'interpelle en la regardant, visiblement mal à l'aise :

— Euh... Caroline...

— Hé ! C'est un sport olympique, ça !

— Caroline... euh ton..., répète Thomas, vraiment embarrassé, en la montrant du doigt.

Immergée dans l'eau jusqu'à la taille, elle ne semble pas comprendre ce que Thomas essaie de lui communiquer. Elle s'informe :

— Quoi ?

Il s'approche tout en continuant de lui pointer son maillot de bain, un sourire sur les lèvres. Elle s'examine et se rend compte que son sein droit est littéralement sorti de son nid. Son bustier en forme de triangle s'est enroulé sur lui-même lors de sa cascade aquatique.

— HEIN ! crie-t-elle, en replaçant rapidement le bout de tissu dans sa position initiale.

Thomas ne dit rien et il affronte, tout sourire, la nouvelle vague. Elle s'y jette à son tour, gênée qu'il l'ait partiellement vue dénudée. En guettant le second bouillon qui s'amène, elle le fixe mi-traumatisée, mi-divertie. Il s'approche doucement en ouvrant exagérément la bouche, les yeux exorbités :

— T'as des beaux seins en ostie !

— Ben là !

— T'as raison, le Mexique, c'est vraiment beau ! s'extasie-t-il en se laissant littéralement tomber vers l'arrière, comme s'il s'évanouissait devant tant de beauté.

JOUR 7
VOL AQ993
CANCÚN–MONTRÉAL
17 H 30

La main devant la bouche, Vicky se retient de rire de l'anecdote savoureuse de leur amie. Katia sourit finalement à son tour en dédramatisant :

— Caro, ce n'est pas ta faute, voyons ! Tu ne lui as pas montré volontairement tes boules : c'était un accident !

— Comment ça, tu ne nous avais pas raconté cette mésaventure ? C'est juste comique ! demande Vicky, en constatant que rien d'incriminant ne s'est produit.

— Je ne sais pas. Je me sentais super coupable.

— Je ne vois pas pourquoi, ne comprend pas Katia, en trouvant l'aventure vraiment anodine.

— Tu pourrais relater ça à ton *chum* et il en rirait !

— Pas certaine, non, rectifie celle-ci.

— Comment ça ?

— Bien, disons que ça a donné un drôle de ton à notre relation, conclut-elle, sans plus de détail.

— Explique-toi, la prie Vicky, qui ne saisit toujours pas l'angoisse de son amie, compte tenu de la banalité de la situation.

Caroline prend une grande inspiration et poursuit :

— Plus tard, dans l'après-midi, quand on a été au premier cours de danse de Fernando...

JOUR 3

PLAYA LUNA RESORT
CANCÚN, MEXIQUE

— On arrive trop tard ? se renseigne Thomas, en agrippant Caroline par les épaules pour la faire vaciller doucement de gauche à droite.

Malgré l'absence de musique, il lui empoigne les mains pour la faire tournoyer, comme s'il connaissait bien la danse que le professeur s'apprête à leur enseigner. Il reprend son sérieux au moment où Fernando montre les pas que les participants doivent répéter.

Après quelques minutes de cet exercice, le professeur *sexy* tape dans ses mains et propose aux vacanciers d'essayer encore, mais cette fois-ci avec de la musique. Caroline et Thomas, qui sont déjà ensemble, restent tout naturellement dans leur position.

— Je capote, je pense juste à tes seins depuis tantôt ! lui dévoile discrètement Thomas, en se mordillant le dessus de la main.

— Franchement ! Reviens-en ! T'as jamais vu ça ? plaisante Caroline, timide.

Elle se tourne la tête vers le danseur, qui leur rappelle de nouveau les enchaînements à faire.

— Des beaux comme ça, non! la complimente Thomas en levant la tête, lui aussi.

— Concentre-toi sur les pas de danse, à la place!

— J'en suis incapable. On retourne dans les vagues après? Elles ont l'air encore plus fortes que cet après-midi... Peut-être que, avec de la chance, ton *top* partira au complet et j'aurai la chance de voir les deux! souhaite-t-il, en levant exagérément les sourcils comme un enfant excité.

— Tes pieds! le ramène-t-elle à l'ordre, autoritaire.

— Oui! oui! Mes pieds! mes pieds! répète-t-il, comme si sa concentration était réellement affaiblie.

Le couple s'amuse en constatant que leur synchronisme laisse vraiment à désirer. Caroline rejette la tête en arrière, comme découragée.

— Aaaah! On est vraiment poches!

Il la regarde intensément:

— Toi, t'es vraiment belle...

— Toi, tu ne lâches pas le morceau, hein!

JOUR 7
VOL AQ993
CANCÚN–MONTRÉAL
17 H 36

— C'est ce que je disais: il te «*cruisait*» et tu te sentais coupable, conclut Vicky en la coupant dans son récit.

— On te confirme que c'est normal, Caro, renchérit Katia, pour l'apaiser.

— Laissez-moi donc finir. Je passe vraiment par Chibougamau pour arriver à Québec, mais c'est pour vous aider à réellement comprendre comment je me suis sentie.

— Excuse-nous, on te laisse poursuivre.

Elle prend de nouveau une grande inspiration et se lance dans la suite.

— Donc, ce soir-là, à la discothèque de l'hôtel...

JOUR 3

PLAYA LUNA RESORT
CANCÚN, MEXIQUE

La pauvre Caroline, abandonnée par Katia qui danse depuis plus d'une heure avec son Latino-Américain, et par Vicky qui boit depuis presque une heure aussi avec son Américain, s'est discrètement immiscée dans le cercle d'amis de Thomas. «Je n'ai pas le choix, je suis toute seule!», raisonne-t-elle pour se déculpabiliser, en répondant une fois de plus à un de ses innombrables sourires ravageurs.

Après plusieurs verres, elle balaye l'espace près du bar pour constater que Vicky et Dawson se sont volatilisés. Elle fouille également des yeux la piste de danse. Katia et Fernando semblent avoir disparu aussi. «Bon! Je suis réellement délaissée par mes deux amies, ce soir!», se désole Caroline, en déposant son cocktail non terminé sur le comptoir. Thomas, qui l'épiait discrètement, s'approche. Elle lui annonce:

— Bon! Je vais dormir!

— Ouais! Moi aussi. Je te raccompagne, décide-t-il, en calant d'un trait sa bière tout en levant la main en direction de ses amis.

Ils saluent tous les deux quelques visages connus et sortent de l'établissement.

— Faisait chaud là-dedans! Pfft! souffle Thomas, qui apprécie la brise qui souffle doucement sur le chemin sinueux.

Silencieuse, Caroline fixe le trottoir qui défile sous ses pas.

— Tsé, Caro, je ne voulais pas te faire suer en parlant de ton *chum* tout à l'heure, se repent-il, conscient que son jugement hypothétique à l'égard de sa vie de couple était déplacé.

— Non, mais tu n'avais pas tort; je me demande parfois si je suis totalement comblée avec lui, avoue-t-elle, la tête toujours en direction du sol.

Sans crier gare, Thomas la saisit par la taille et la fait pivoter vers lui. Il colle ses lèvres sur les siennes. Surprise, Caroline décroche son visage du sien; elle le fixe quelques instants puis l'embrasse de nouveau. Un frisson lui parcourt la colonne vertébrale et lui fait frémir légèrement les épaules, en plus de lui faire dresser, à la base de la nuque, son fin duvet blond.

JOUR 7
VOL AQ993
CANCÚN–MONTRÉAL
17 H 40

— Ah ouin..., fait Katia, qui saisit maintenant un peu mieux le tourment de son amie.

— Comprenez-vous que c'est moi qui ai ouvert toute grande la porte : «... je me demande parfois si je suis totalement comblée avec lui... », répète-t-elle, en se rappelant ses propres paroles.

Le fait paraît effectivement incontestable, mais les filles ne savent pas quoi lui dire de plus. Après quelques instants de silence, Vicky la rassure tout de même :

— Un baiser... ce n'est quand même pas la fin du monde.

— Vous êtes allés vous coucher après le baiser, hein ? demande Katia, presque certaine de la réponse.

— Oui...

Caroline détourne la tête et fixe les petites lumières de l'allée centrale de l'avion.

— Il ne s'est rien passé d'autre de tout le voyage, alors, reprend Katia, pour conclure l'aventure de son amie.

La gorge serrée, Caroline lève à peine la tête. Deux paires d'yeux insistants la mitraillent.

— Euh... comment dire, pas tout à fait..., hésite-t-elle, avant de secouer la tête de gauche à droite.

— Continue, l'encourage Vicky, en lui caressant doucement l'avant-bras.

— Le lendemain après-midi...

JOUR 4

PLAYA LUNA RESORT
CANCÚN, MEXIQUE

— C'est bon cette chanson-là! s'excite Katia, qui se déhanche lascivement près du bar de la plage.

Encore une fois, sous l'effet de l'alcool, et bien qu'il soit seulement 16 h, les filles se dandinent au son de la musique exotique. Elles en motivent même plusieurs à faire de même en tapant des mains. Le groupe de Québécois s'est joint à elles. Thomas discute encore avec Caroline pendant que Vicky, le nez en l'air, cherche Dawson.

— J'te trouve même pas *cute*, ment Caroline, en observant Thomas à travers ses lunettes de soleil.

— Non, tu me trouves plutôt : complètement à ton goût !

— Pfft ! Je te dis que non, reprend Caroline, qui essaie d'être subtile, vu la proximité du groupe et la nature incriminante de leur discussion.

— Regarde, si tu paniques pour le baiser d'hier, on avait pris un verre, on était un peu soûls, on a fait une gaffe, ça ne se reproduira pas et tout le monde est heureux ! la rassure-t-il, en se tournant la tête au passage de jolies filles qui le saluent de la main.

La scène n'échappe pas à Caroline. Désireuse de ravoir la totalité de son attention, elle demande à son interlocuteur :

— Quoi ? Tu ne voudrais pas que ça se reproduise ?

Il délaisse les jolies filles et se tourne de nouveau vers elle.

— Non, pas nécessairement. Si je passe du temps avec une fille en voyage, je veux que ça lui tente vraiment. Tu comprends ?

Stupéfaite, elle fronce les sourcils, cherchant une réplique qui masquerait son intérêt pour lui. Constatant son mutisme, il la taquine :

— Mais si tu me tords un bras pour me montrer tes boules encore, je vais me sacrifier !

— T'es con !

— On devrait sortir danser ce soir !

— Toi et moi ?

— Ben non, tout le monde...

— Ah, bien oui...

Voyant que le groupe de Québécois s'apprête à exécuter un ixième toast collectif, Thomas s'approche de la bande et Caroline le suit. Il clame haut et fort :

— On sort en ville ce soir !

— Ouuuuuuh ! approuve la bande, en continuant de bouger doucement au son de la musique.

JOUR 7

VOL AQ993
CANCÚN–MONTRÉAL
17 H 45

— Ah ouin ! Il t'a joué la carte de l'indépendant... c'est fort, comprend Vicky, le doigt sur la tempe, en position «psychiatre en pleine analyse comportementale du sujet».

— Hum... et moi, je suis tombée dans le panneau comme une enfant d'école. Je fais la morale aux adolescentes de quatorze ans dans mes classes, des fois, par rapport aux «petits gars». Eille, bravo l'adulte ! Pendant cet après-midi-là, je ne pensais même plus à mon *chum* ni à mon fils ; Thomas était devenu comme un défi, voire une obsession, explique rationnellement Caroline.

— Bien oui, il ne te lâche pas deux jours de temps, et là, au moment où tu fais une niaiserie, il s'en va tout bonnement, l'air désintéressé ! Est-ce que c'était stratégique, à ton avis ?

— Je ne sais pas trop...

— Et là, le soir de la discothèque en ville ? s'informe Katia, avide de connaître la suite.

Vicky, prise d'une illumination soudaine, avoue :

— OK ! Je pense que je comprends mieux ce qui s'est passé ce soir-là...

Caroline esquisse une moue tissée de complicité en direction de Vicky, sans rien ajouter. Elle comprend pour quelle raison son amie a soudainement tout saisi.

— Quoi ? Je n'étais pas là, moi ! s'impatiente Katia, pas au courant des détails de leur fin de soirée.

— T'étais où ? Aaaah oui ! Dans une autre chambre, la nargue Vicky, en faisant référence à sa nuit passée avec le couple d'échangistes.

— Bon, OK ! On peut en revenir de ça aussi ! réplique Katia, offusquée que son amie en reparle encore une fois malgré son interdiction.

— Cibole ! Excuse-moi, t'es ben bête..., regrette Vicky, qui se voulait drôle avec son allusion.

— Non mais, on peut ramener sur le tapis, nous aussi, que tu baises sans capote avec un inconnu dans la mer ! lui rappelle Katia, sur un ton assez élevé pour que la femme assise devant elles se retourne encore une fois de son siège.

— Merci beaucoup de crier ma bêtise devant tout le monde dans l'avion ! Va donc la raconter au pilote pour qu'il l'annonce au micro, tant qu'à y être ! se frustre à son tour Vicky, les baguettes en l'air, insultée de se faire ainsi renvoyer la balle.

— ARRÊTEZ, les filles ! Donc, je vous explique ce qui s'est passé ce soir-là..., se presse d'enchaîner Caroline pour mettre un terme à la querelle entre ses deux collègues, toutes deux visiblement exténuées par l'éprouvant voyage.

JOUR 4

PLAYA LUNA RESORT
CANCÚN, MEXIQUE

Au moment de se diriger vers la discothèque, tout le groupe discute encore bruyamment sur le trottoir devant le hall de l'hôtel. Thomas, qui semble responsable de la mobilité de la bande, revient pour annoncer à tous :

— La réceptionniste a appelé deux taxis supplémentaires. La course coûte environ 10 $ pour se rendre au bar.

— On se voit là ! crient quelques Québécois en entrant sans ordre précis dans les deux taxis déjà stationnés devant le complexe hôtelier.

Caroline ne voit pas ses deux amies entrer dans les taxis, trop occupée à guetter Thomas qui discute avec une des filles qui l'a salué à la plage, quelques heures plus tôt.

Comme elle a trop tardé à monter avec la première cohorte, les deux véhicules déjà pleins se mettent en route. Elle fait un pas vers Thomas et sa nouvelle compagne pour prendre part subtilement à leur conversation :

— On va attendre les autres taxis, je crois bien !

— Bien oui, hein ! fait la fille rousse, en examinant Caroline de haut en bas avec mépris.

Le trajet en taxi s'avère assez particulier. Thomas, assis au milieu de Caroline et de la rouquine, sourit à pleines dents, heureux de se rendre à la discothèque. Son « amie », à moitié affalée sur lui, lui susurre à l'oreille, d'une voix assez audible pour être entendue de Caroline : « On va danser, on va avoir chaud, et on prendra un bain de minuit ensemble, tous les deux... » Thomas reste muet et ne répond pas à ses propositions. Il rappelle plutôt au chauffeur le nom de l'établissement, pour s'assurer que celui-ci se dirige dans la bonne direction.

À leur arrivée devant l'immense boîte de nuit, ceux qui sont montés les premiers les attendent avant de s'élancer à l'intérieur. Lorsque Caroline rejoint les filles, qui sont déjà là, celles-ci discutent en anglais avec des touristes qui résident dans d'autres complexes hôteliers.

— Hé ! Je pensais que tu nous suivais dans le deuxième taxi, s'exclame Vicky en apercevant son amie se joindre à eux.

— Non, il était déjà plein. J'ai attendu les autres, justifie Caroline.

— Tout le monde se parle en voyage, c'est tellement le *fun*! s'excite Katia, qui continue de discuter avec leurs nouveaux amis.

Vicky met Caroline au parfum des dernières nouvelles.

— J'ai vu Dawson quand je suis arrivée. Il entrait dans le bar avec ses amis. Il ne m'a pas vue... Je suis jolie avec cette robe?

— Super! se réjouit Caroline en souriant à son amie, l'air un peu préoccupé.

— Ça va?

— Oui! oui!

Elle cherche Thomas du regard et le voit entrer dans l'établissement, la rouquine à son bras.

— Bon, on entre, les filles, presse-t-elle ses amies en se dirigeant vers le portier.

JOUR 7
VOL AQ993
CANCÚN–MONTRÉAL
17 H 51

— Je n'ai rien vu de ça, moi! s'étonne Vicky, consciente que ce soir-là son énergie était plutôt consacrée à sa mission: «trouver Dawson».

— Moi non plus! Mais j'étais la plus paquetée de la terre, encore une fois, c'est bien normal!

— La fille rousse avec lui ? Je ne me souviens pas d'elle non plus, affirme Vicky, en semblant chercher activement dans sa mémoire.

— Oui ! oui ! oui ! Vous savez c'est qui ! Vous allez comprendre, leur précise Caroline, en s'apprêtant à poursuivre son récit.

— Je parie que tu n'es même pas venue à la rescousse d'une fille américaine pleine de crottes dans les toilettes ! C'est presque le seul moment de la soirée que je me rappelle, reprend Katia, en supposant que son amie a fabulé, là aussi.

— Hein ? Elle n'était même pas vraie, cette histoire-là ? enchaîne Vicky, persuadée que Katia le sait et qu'elle dit vrai.

Caroline lève sa main bien droite pour leur indiquer de ne pas tirer des conclusions trop hâtives.

— Attendez... Donc, plus tard dans la soirée...

JOUR 4

PLAYA LUNA RESORT
CANCÚN, MEXIQUE

En tenant l'Américaine par l'épaule, elle l'oriente vers la sortie et la fait entrer dans le premier taxi disponible. Docile, la jeune fille s'assoit à l'arrière et Caroline veille à ce qu'elle montre son bracelet au chauffeur pour qu'il la conduise au bon complexe hôtelier. Avant de refermer la portière, la fille se tourne vers sa bonne fée, les yeux vides :

— *Thank you...*

— *It's OK.*

Caroline observe le taxi s'éloigner, compatissante, mais tout de même en regrettant un peu son chandail boléro qu'elle aimait bien...

Dès qu'elle réapparaît dans l'entrée, le portier, qui a vu en partie la scène, lui fait signe de passer sans même regarder l'estampille sur sa main. Caroline grimpe les trois marches à droite permettant d'atteindre le palier qui ouvre sur un autre bar et des tables de billard. À cette hauteur, grâce à un balayage visuel de la discothèque, elle aperçoit ses amies, ainsi que Thomas et les siens. La rouquine se tient toujours à ses côtés. Caroline réfléchit, obsédée par la situation. Elle voit alors Thomas se détacher du groupe. Il semble se diriger à son tour vers les toilettes. Bingo ! Elle redescend les quelques marches de l'escalier et se rend d'un pas rapide vers les lavabos. Elle fait mine de le croiser par hasard lorsque celui-ci sort des cabines quelques minutes plus tard.

— Hé !

— Salut ! Tu t'amuses ? s'informe Thomas, jovial, en l'apercevant.

— Oui, toi ?

— Ouais ! On rejoint les autres ? propose-t-il en claquant des mains.

Soudainement, Caroline voit surgir une tignasse d'un rouge flamboyant derrière l'épaule de Thomas. La rouquine avance vers eux. Sans crier gare, Caroline fonce sur Thomas et lui empoigne une fesse avant de lui donner un baiser sensuel sur une joue. Sa rivale poil de carotte s'arrête instinctivement en leur jetant un regard, confirmant ainsi qu'elle cherchait bel et bien Thomas. Sans rien dire, elle rebrousse chemin, bredouille.

— *Oh boy!* Qu'est-ce qui se passe, madame? s'étonne Thomas, en souriant à Caroline, les yeux écarquillés.

— Je suis stupide...

— Pourquoi?

— Je suis en couple, mais j'ai le goût d'être avec toi, de te toucher...

— Écoute! Moi, je ne veux juste pas porter TA décision sur MES épaules. Tu fais ce que tu veux, mais je ne veux pas que tu m'en veuilles après.

— Hum..., répond-elle, un peu ambivalente et, surtout, pas fière de ce qu'elle vient de faire et de dire.

Voyant son malaise, il essaie de faire diversion:

— Arrête de niaiser! Montre-moi encore tes boules! T'en meurs d'envie...

— Thomas...

— Viens-t'en!

— Je trouve ça facile, moi, son affaire! Il te fait le grand numéro, il te séduit comme un Apollon et ensuite, quand tu baisses un peu ta garde, il te dit: «Tsé, je ne veux pas que ce soit ma faute... blablabla...», explique Katia, qui prend, évidemment, le parti de son amie dans toute cette histoire.

— Ouin, on dirait que tu parles d'une fille «agace»...

— Justement, si les femmes peuvent être «agaces», les hommes aussi! Voyons donc! ajoute Katia, pour compléter le propos de Vicky.

— Mais en même temps, j'étais jalouse raide de cette jeune rousse, sans avoir le droit de l'être, et j'ai complètement viré folle ce soir-là! reprend Caroline, sans trop comprendre elle-même son comportement.

— As-tu couché avec, oui ou non? s'intéresse sans détour Vicky, pour en venir aux faits réels, dans toute cette conjoncture.

— Qu'est-ce que vous en pensez? tente Caroline, intriguée de connaître l'opinion de ses amies.

— Moi, je suis certaine que non; t'as repris tes esprits, tu t'es fait une raison, présume Katia, confiante que son amie a résisté à la tentation.

— Moi, je pense que tu l'as fait, mais pas ce soir-là... probablement le dernier soir ! tente plutôt Vicky, son regard rivé à celui de Caro afin de valider sa supposition.

— Ni l'un ni l'autre, répond-elle vaguement, avant de poursuivre, pour clore la fin de cette soirée. Quand nous sommes revenus de la discothèque, ce soir-là...

JOUR 4
PLAYA LUNA RESORT
CANCÚN, MEXIQUE

— Non, rien à faire. Le chauffeur refuse catégoriquement qu'on s'y entasse tous. On doit prendre deux taxis ! affirme Thomas en revenant vers Caroline, Vicky et deux autres gars, restés sur le trottoir, le temps qu'il négocie la course.

— Ils veulent faire de l'argent pour nourrir leur famille ! C'est bien normal, comprend Caroline, toujours aussi sensible à la pauvreté des gens.

— En effet, car le prix a doublé également ! C'est rendu à 20 $! annonce Thomas, en avançant vers un véhicule.

— Ouin ! Ils veulent vraiment faire de l'argent !

Vicky et Caroline prennent place sur la banquette arrière avec lui. Les deux autres gars se dirigent vers la voiture placée à l'arrière, dans la ligne parfaitement droite de taxis jaunes assoiffés de dollars américains.

— On va à la discothèque de l'hôtel prendre un dernier verre. Vous venez?

— Non, je suis trop en maudit! Les hommes sont tous de gros pénis ambulants prêts à s'envoyer en l'air avec n'importe qui! enrage Vicky, qui revoit encore la jeune fille pendue au cou de Dawson.

— *Oh boy!*

Thomas dévisage Caroline, ne sachant pas s'il doit ou non s'intéresser à l'histoire de Vicky. Celle-ci agite la tête pour lui signifier «Laisse faire, c'est trop compliqué». Il choisit sagement de se taire.

Arrivées devant le hall, Vicky et Caroline discutent un instant en retrait. Thomas rejoint son partenaire de voyage qui l'attend près du taxi qui l'a conduit. Subitement, Vicky quitte son amie pour se diriger d'un pas décidé vers sa chambre; elle dit à peine «Bonne nuit» aux gars. Le coloc de Thomas et celui qui l'accompagne tournent les talons, sans rien dire, et s'en vont à la discothèque en empruntant le petit sentier, à droite.

— Tu ne voulais pas y aller avec eux? se surprend celle-ci en le voyant de retour auprès d'elle.

Comme le hall est désert près de la sortie de l'immeuble, Thomas s'approche d'elle et l'embrasse à pleins bras. Elle répond à son baiser, avant de décrocher ses lèvres des siennes.

— C'est un guet-apens!

— Mets-en! Complètement assumé, en plus!

Pendant un moment, ils discutent de tout et de rien en progressant sur le chemin. En fait, Caroline suit docilement Thomas, qui semble savoir vers où ils se dirigent. Lorsqu'ils arrivent près d'un module de chambres, il annonce :

— C'est ici !

— C'est ici quoi ?

— Ma chambre !

— Je ne vais pas dans ta chambre !

— Bien oui, tu viens dans ma chambre ! Arrête de niaiser, répond-il, comme si ce n'était réellement pas un choix.

— Non, merci !

— Bien oui ! J'ai chassé mon coloc ! Allez, viens me montrer tes boules dans ma chambre !

— Franchement ! Tu en fais vraiment une fixation. C'est inquiétant...

— Si tu veux, je peux te payer. Dix piastres chaque fois que tu m'exhibes tes seins !

— Ark ! Tu me prends pour qui ? Ce n'est pas illégal, monsieur l'avocat, de payer pour ce genre de services ? s'amuse celle-ci, en sachant très bien qu'il plaisante.

— OK ! Vingt piastres alors... T'es dure en affaires, je te demande même pas de danser...

Il lui envoie un clin d'œil pour lui confirmer qu'il joue réellement à l'abruti. En fait, il semble plutôt gêné. L'humour constitue pour lui une stratégie destinée à dissimuler chaque fois sa timidité. Il avance doucement et l'embrasse encore, en prenant tendrement son visage dans ses mains. Caroline sent de nouveau un frisson lui parcourir le corps. «Coudonc, il me fait donc bien de l'effet, ce gars-là...», analyse-t-elle, surprise de reconnaître la présence desdits papillons dans le ventre qu'elle avait oubliés depuis toutes ces années passées en couple avec le même homme.

— Non mais, sans blague Caro, je te l'ai dit tantôt : tu décides ce que tu fais. Je joue au con depuis tantôt, mais je ne veux pas te mettre de pression. Toutefois, ça reste un fait réel que j'ai envie de toi comme un fou !

Elle sourit, baisse les yeux et, sans réfléchir, elle l'entraîne vers le sentier menant à l'entrée de son module. «Qu'est-ce que je fais? Pourquoi je m'en fous à ce point-là?», se tourmente-t-elle en l'observant ouvrir la porte de sa chambre. C'est en arborant son éternel et large sourire ravageur qu'il l'invite à entrer avec galanterie.

JOUR 7
VOL AQ993
CANCÚN–MONTRÉAL
17 H 59

Les deux filles dévisagent Caroline, très surprises que celle-ci ait trompé son *chum* dans de telles circonstances et avec autant de «facilité».

— Regardez-moi pas de même! Vous allez me faire regretter de vous l'avoir dit, fait-elle, les yeux de nouveau pleins d'eau.

— Mais c'est juste que... toi?

— Je ne sais pas ce qui s'est passé dans ma tête, honnêtement. Je n'ai rien à dire pour ma défense: la boisson? Non, j'étais très en contrôle; un peu enivrée, oui, mais pas défoncée. J'étais bien, je me sentais belle, tellement femme; je me foutais de ce que je faisais. C'est moi la grosse charrue du voyage! se culpabilise-t-elle, en utilisant l'expression de Vicky, avant de se remettre à pleurer de plus belle.

— Ayoye, tu sais Caro, ça peut arriver à tout le monde de faire une petite gaffe, tente Katia, en sachant très bien que, si elle était en couple avec un homme, elle n'accepterait jamais que celui-ci fasse un écart de ce genre.

— Oui, méchante «petite gaffe»! ajoute la coupable, comme pour signifier à ses amies que rien au monde ne peut minimiser son geste ou le rendre acceptable.

— Pars du principe que ce qui est fait est fait. Maintenant, deux choix s'offrent à toi: soit tu oublies cette mésaventure en l'enfouissant bien au fond de ta mémoire à tout jamais, soit tu le dis à ton *chum* et tu vis avec les conséquences probables, rationalise Vicky, qui essaie de la sortir de sa morosité en lui présentant du concret.

Pendant un instant, Caroline cesse de pleurer et réfléchit aux deux possibilités que son amie vient de lui énumérer. Son visage se crispe de nouveau, et elle recommence à gémir en se prenant la tête à deux mains.

— C'est le père de mon fils... ça fait sept ans... Moi, la conne, je le trompe facilement, et pas juste une fois en plus...

— Ah non ? reprend Vicky.

— Pas juste une fois ? s'intéresse Katia.

Caroline exhale plusieurs soupirs pour se calmer. Après s'être mouchée, elle avoue un autre mensonge à ses compagnes.

— Comme je disais : au point où on en est rendues... Je vais poursuivre...

— On n'est pas là pour te juger, Caro.

— Je sais. De toute façon, pas besoin que les autres me jugent, je le fais moi-même. Donc, le fameux matin où on est allées à la réception parce qu'on s'inquiétait que tu ne sois pas revenue dormir à la chambre...

JOUR 5

PLAYA LUNA RESORT
CANCÚN, MEXIQUE

— KAT ! crie Vicky, qui se lève d'un bond pour foncer vers elle.

Caroline tourne la tête vers le comptoir de la réception. Ayant entendu le cri de Vicky, la réceptionniste envoie un sourire en direction de ses clientes et hoche la tête, comme pour leur dire : «Juste dans une autre chambre... Je vous l'avais bien dit!» Caroline la remercie de la main avant de courir vers ses amies.

— La buanderie ou le placard à balais? interroge Vicky en arrivant à la hauteur de Katia, qui semble meurtrie.

— Ni l'un ni l'autre. Je veux des aspirines! Et des lunettes de soleil..., requiert-elle en continuant rapidement son chemin en direction de leur module.

Vicky accélère le pas, pendant que Caroline se fait accoster par une fille rouquine qui était avec eux la veille.

— Excuse-moi...

Caroline, qui reconnaît la fille qui tentait de séduire Thomas à la discothèque, jette un œil en direction de ses amies. Assurée qu'elles se trouvent assez loin pour ne pas entendre, elle répond:

— Oui?

— Tsé, je voulais m'excuser pour hier. Je ne savais pas au début de la soirée que tu étais avec Thomas...

— Bien oui, j'ai vu ça!

— Non mais, ce n'est pas mon genre de «*cruiser*» des gars en couple. Je croyais vraiment qu'il était venu seulement avec son ami; je les voyais toujours ensemble sur la plage, à l'hôtel...

Ne voulant pas lui fournir de détails ni inventer quoi que ce soit, Caroline ajoute simplement:

— Pas grave, ce sont des choses qui arrivent !

— Vous êtes beaux à voir ensemble, en tout cas !

— Ahhh... Merci ! Bonne journée !

Elle trottine pour rattraper ses amies.

— Qu'est-ce qu'elle voulait ? lui demande Vicky.

— Elle voulait savoir si je savais si le buffet était ouvert ou non, répond vaguement Caroline.

Puis elle se tourne vers Katia, le regard insistant, curieuse qu'elle leur dise enfin où elle a passé la nuit.

JOUR 7
VOL AQ993
CANCÚN–MONTRÉAL
18 H 03

— Bien évidemment ! C'était elle, la rousse du bar, comprend Vicky, qui n'avait pas fait le lien et, surtout, qui n'avait accordé aucune importance à ce détail.

— Tu lui as affirmé que tu étais en couple avec lui ? se surprend d'emblée Katia, plutôt ébranlée par ce dernier rebondissement.

— Pas directement, mais je n'ai pas démenti sa supposition. Je ne savais pas quoi dire ! La veille, je lui avais très clairement signifié d'enlever ses pattes de mon mec. Je ne savais pas trop comment rétablir les faits, avoue Caroline, qui trouve elle aussi la situation très tordue.

— Ce qui me surprend le plus, c'est que pendant tout ce temps-là, tu pensais : «Je ne vais jamais le dire à mes amies...», se désole Vicky, compte tenu de leur amitié de longue date.

— Oui et non. On dirait que je me disais plutôt : «Je ne vais jamais en parler à personne et ça n'existera pas.» Finalement, ça me soulage beaucoup de tout vous avouer, fait-elle, honnête.

— Et là, ensuite ? Tu l'as revu ou pas ?

— J'y arrive, j'y arrive. Ce midi-là, quand on est allées manger...

JOUR 5

PLAYA LUNA RESORT
CANCÚN, MEXIQUE

Au buffet du midi, les filles, bien calmes, ne prennent pas une coupe de vin, mais plutôt un grand verre de jus de fruits frais, histoire de faire changement.

— Une demi-journée de pause d'alcool, ça ne fait pas de tort ! fait remarquer Caroline, en levant le nez en l'air.

Elle aperçoit du coin de l'œil Thomas qui déambule nonchalamment dans les rangées du généreux buffet, une assiette vide à la main. Cherchant une stratégie pour aller lui parler, elle prend une bouchée de ses pâtes sautées et la recrache bruyamment.

— Ouache! C'est pas mangeable, ça! affirme-t-elle, bonne comédienne.

— Non? Pourtant, j'en ai pris aussi et j'aime bien, se surprend Vicky en reprenant une bouchée afin d'en évaluer le goût de nouveau.

Caroline pousse son assiette et se lève pour aller se choisir autre chose. Elle se munit d'une assiette vide au passage et se dirige dans la rangée où se trouve Thomas, mais de l'autre côté.

— Salut, bel étranger! lui lance-t-elle, en se penchant le visage sous les lampes des réchauds.

— Toi, t'es belle! lui envoie-t-il tout bonnement sans la saluer.

Subjuguée, elle roule des yeux de le voir toujours aussi charmeur.

— Non mais, je me disais que t'étais belle en simonaque en me levant ce matin, en repensant à cette nuit...

En choisissant des mets au hasard pour garnir son assiette, elle le relance, l'air taquin:

— Qu'est-ce que tu te disais d'autre?

— Je me disais: «Vu qu'elle est restée les boules à l'air presque une heure hier, est-ce que je paie juste 20$, ou le tarif est calculé en lien avec le temps d'exposition?»

— Tu pensais donc juste à ton portefeuille, monsieur l'avocat?

Il improvise :

— Non, je me disais aussi : «Je me demande si elle viendrait faire une superbe balade en moto avec moi cet après-midi... »

Elle sourit.

— *Wow !* En moto dans les rues du Mexique ! Oui, avec plaisir !

— Tu dois avoir des souvenirs à acheter pour ton amoureux ?

— Thomas... franchement..., fait-elle, soudainement déçue.

— Je t'attends dans le lobby à 13 h ! enchaîne-t-il aussitôt, comme si, dans son propos, il n'avait pas cherché à créer quelque malaise que ce soit.

JOUR 7
VOL AQ993
CANCÚN–MONTRÉAL
18 H 07

— *Wow*, commentaire assez poche, merci ! lance Vicky, dégoûtée.

— Ouf ! Pourquoi il t'a dit ça ? réfléchit Katia à haute voix.

— Je me le suis demandé. J'ai pensé qu'il me testait ou je ne sais quoi, affirme Caroline, pas tout à fait fixée quant au sens véritable à donner à l'insinuation déplacée de Thomas.

— Peut-être. Mais tu devais vraiment «*tripper*» quand il t'a proposé cette sortie! Toi qui voulais faire des activités de ce genre, prétend Vicky, réjouie pour elle.

— Hum... pas tellement pour la moto. Je ne lui ai pas dit, mais j'étais un peu craintive. On ne portait même pas de casque! hurle Caroline, toujours tellement prudente, encore sous le choc d'avoir participé à une escapade aussi téméraire.

— Non, je ne peux pas croire que TOI, Caroline, tu as pris un risque aussi périlleux! la taquine Katia, qui focalise son attention sur le comique de la situation plutôt que sur l'adultère en tant que tel.

— Il faut préciser que c'était une petite mobylette genre «pouet-pouet». Pas une grosse moto bruyante. Mais tout de même: pas de casque! Eille, j'y repense et j'angoisse. Je vous le dis: je ne réfléchissais pas, je ne me posais pas de questions... J'étais comme totalement déconnectée, explique Caroline, en essayant de comprendre son état d'esprit à ce moment-là.

— T'étais bien, évalue Vicky, qui chuchote sciemment son commentaire comme s'il s'avérait incriminant.

— Nous, on croyait que tu étais réellement partie acheter des souvenirs. Vous avez eu du plaisir? s'inté-resse Katia, pour revenir au sujet principal.

— Oui, vraiment...

JOUR 5

PLAYA LUNA RESORT
CANCÚN, MEXIQUE

— Veuillez prendre place, madame…, l'invite Thomas, en lui présentant la moto qu'il a louée pour l'après-midi.

— Merci, monsieur…

— Euh… en fait, il s'agit d'une moto «*no top available*» et sans frais supplémentaires !

— Eille, ça commence à devenir vraiment troublant ta fixation !

— Moi, je fais juste «subir» !

— Où sont les casques ?

— Pas besoin de casque, ici. C'est *cool*, hein ?

— Ouais…, répond Caro, pas certaine que ça soit vraiment *cool*, en lui souriant tout de même.

— Où veux-tu aller ?

— Je ne sais pas trop. Voir du pays, des petites rues, des marchés…

— OK, *boss* !

Les deux «motocyclistes» rigolent une partie de l'après-midi en zigzaguant dans les artères et dans les ruelles de la ville. Thomas est prudent et très bon conducteur. Caroline se sent légère, libre, émancipée, ses tresses virevoltant au vent. Elle ne culpabilise qu'une fois, pendant quelques secondes, en croisant un couple et leur jeune garçon, qui semble avoir environ l'âge de son fils, sur la terrasse d'un petit restaurant de tacos.

Lorsqu'elle revient de sa promenade clandestine, Caroline retrouve facilement ses amies, installées près de la piscine. Elle s'y dirige et étale sa serviette sur une chaise près d'elles. Elle songe : «J'espère qu'elles ne me poseront pas trop de questions...»

Malheureusement, celles-ci la bombardent littéralement de questions :

— T'es partie longtemps ! T'as acheté des choses ?

— Oui, des petits souvenirs pour mon fils, mon *chum*. Rien de très original. On retrouve toujours les mêmes trucs partout.

— Où les as-tu achetés ?

— Il y a plein de petits marchés par là, à droite... C'est à quelle heure, le fameux mariage, vous pensez ? s'informe-t-elle, intéressée.

— Je ne sais pas.

— Probablement vers la fin de l'après-midi, prétend Vicky, qui tend le cou pour voir en direction de la plage, là où un chapiteau blanc a été dressé le matin même.

JOUR 7
VOL AQ993
CANCÚN–MONTRÉAL
18 H 10

— Tu ne pensais pas du tout à ton *chum*? questionne Vicky, de nouveau étonnée, qui comprend mal comment cela a pu être possible.

— À peine, je vous dis. C'est pour ça que je me sens encore plus infidèle...

— Es-tu amoureuse de lui? ose Vicky, qui commence à croire qu'ils ont vraiment développé des sentiments l'un pour l'autre.

— Amoureuse de qui? demande Caro, en se sentant ridicule de devoir ainsi clarifier la question.

— De Thomas...

Ambivalente, Caroline hausse les épaules pour toute réponse.

— Donc, c'est ce que tu as réellement fait cet après-midi-là..., réfléchit encore Vicky, qui croule sous les informations dévoilées en rafale par Caroline.

— Tu l'aimes? reprend Katia, puisque Caroline a esquivé la question précédente.

— Je ne peux pas l'aimer, je le connais à peine depuis quelques jours...

— N'oublie pas une chose cruciale, non plus : en vacances, tout est beau, tout est rose, enchaîne Katia, consciente que l'aspect paradisiaque des lieux embellit souvent la réalité.

— Je sais tout ça.

— Tu l'as revu le soir même ? Si c'est le cas, je ne sais pas où j'étais, mais je n'ai rien vu de tout cela ! avoue Katia, de plus en plus abasourdie.

— T'étais trop occupée à forniquer avec ton danseur, lui rappelle Caroline en esquissant un léger sourire.

— Moi, je n'étais plus avec personne et je n'ai rien vu non plus ! poursuit Vicky.

— Toi, t'étais obsédée à haïr Dawson, lui remémore-t-elle, en adoptant de nouveau un petit air moqueur.

— Donc ? On attend la suite de cette soirée-là, Caro... Comme c'est aussi le soir de la buanderie, prise 1, je n'ai aucune idée de ce que vous avez fait, dit Katia.

— On s'est revus, en effet...

— Aaaah ! Je crois que je comprends tout encore une fois, analyse Vicky, dont certains détails de la soirée lui reviennent à l'esprit.

— C'est vrai, Katia. Il y a un grand bout de cette soirée que tu ne connais pas...

JOUR 5

PLAYA LUNA RESORT
CANCÚN, MEXIQUE

— On fait quoi de notre soirée plate quand on n'a pas de relation excitante ? s'impatiente Vicky, en interrogeant Caroline du regard.

— Je ne sais pas. On va marcher sur la plage pour voir le coucher du soleil ? Question de bouger un peu. On ne fait rien sauf lever le coude pour boire et se déplacer de la piscine pleine de pipi à la plage ! exagère Caroline, qui constate que l'activité physique n'a pas été au programme d'aucune d'entre elles durant ces vacances.

— Je sais, on dirait que je commence à avoir une bedaine ! se plaint Vicky, en se triturant le ventre.

— Go ! On grignotera à notre retour.

— Manger aussi, on fait juste ça !

Les deux filles s'habillent en vêtements tout-aller afin d'être vraiment confortables pour faire leur balade. En arrivant sur la plage, elles tombent sur le groupe de Québécois, qui semblent ne pas avoir bougé malgré l'heure tardive.

— Vous êtes encore là ?

— On a collé ici, en effet !

Vicky se met à discuter avec un Québécois qui a fait du parachutisme ascensionnel. Il a adoré se faire tracter en parachute par un bateau. Elle aimerait tellement en faire l'expérience, mais son budget ne le lui permet pas. Thomas s'approche discrètement de Caroline, l'air de rien.

— Hé!

— Salut!

Comme ils sont entourés d'autres personnes, ils engagent une conversation anodine.

— T'as passé une belle journée?

— Oui, j'ai fait de la moto en début d'après-midi.

— *Wow!* Ça devait être le *fun*! T'étais seul?

— Non, j'ai emmené une superbe fille!

— C'était bien?

— Ouais…, approuve-t-il, en lui décochant une œillade coquine.

Pendant qu'ils discutent de tout et de rien, Thomas trace un message dans le sable avec son gros orteil. Caroline, amusée, plisse le front et lui demande:

— Vous vous êtes promenés autour?

— Ouais, dans les ruelles de Cancún…

Tout en continuant à l'interroger à propos de son emploi du temps, elle lit dans le sable: «22 h». Elle comprend alors qu'il lui donne un rendez-vous secret.

Elle hausse les épaules, les bras légèrement écartés, pour lui signifier : «Où?» Il inscrit en grosses lettres dans le sable : «ICI».

— En tout cas, t'es vraiment chanceux d'avoir fait ça ! dit Vicky au parachutiste en herbe.

Elle le laisse pour revenir près de Thomas et Caroline.

— On y va ?

— Oui !

— Bonne balade, les filles. On se voit plus tard peut-être, lance Thomas, en tapotant le bras de Vicky.

Dès que ce dernier s'est éloigné d'elles, Vicky dévoile à Caroline :

— Thomas te «*cruise*» vraiment pu, on dirait ! Même que, des fois, je le sens tenter des rapprochements avec moi, avoue Vicky à son amie, un peu mal à l'aise.

JOUR 7
VOL AQ993
CANCÚN–MONTRÉAL
18 H 13

— Ah non ! Je ne me souvenais même pas de t'avoir balancé une connerie de ce genre ! Je suis donc bien stupide ! Ouf ! J'ai vraiment honte, avoue Vicky, en se couchant la tête sur les genoux tellement elle est embarrassée.

— Tu ne pouvais pas savoir, Vic. En réalité, Thomas, pour demeurer *low profile*, a vraiment tenté vers la fin du voyage de bavarder plus avec vous deux qu'avec moi, évitant ainsi d'être suspecté, rectifie Caroline.

— Ça me fait suer, j'ai vraiment l'impression d'avoir manqué quelque chose, se plaint Katia, pas du tout au courant de ce que les filles racontent, puisqu'elle n'était pas avec elles cette soirée-là.

— C'est vrai, c'était toute une excursion, notre balade! Attends de savoir quelle infraction on a commise! rajoute Vicky, qui donne une tape complice sur le genou de Caroline.

— Pas une vraie de vraie infraction? tente de savoir la seule qui n'est pas concernée.

— Euh, disons qu'on aurait pu se faire arrêter par un gardien..., réfléchit Caroline, en interrogeant Vicky du regard pour faire confirmer sa supposition.

— Oui, par un gardien de sécurité. Et je dirais même par n'importe quel employé de l'hôtel, affirme Vicky pour compléter la réflexion de Caroline.

— Pfft! Je ne vous crois pas!

— Tu devrais, Kat...

— Hein? Allez-y, alors! Racontez! Racontez! s'impatiente cette dernière, presque hystérique d'être ainsi tenue en haleine.

JOUR 5

PLAYA LUNA RESORT
CANCÚN, MEXIQUE

Après environ une heure de marche, les filles s'accordent une courte pause pour apprécier la brise marine, les yeux fermés, les cheveux au vent. La plage, qui s'étend à perte de vue de chaque côté d'elles, semble ne former qu'une mince pointe de sable doré à son extrémité. En contemplant l'horizon, elles ont l'impression que la mer a une forme arrondie comme si elle épousait la courbe naturelle de la Terre. Quelques volatiles gracieux passent au-dessus de leur tête, comme s'ils suivaient une ligne transversale. Cela donne à la scène un air paradisiaque.

— C'est tellement beau, apprécie Vicky, zen et calme, en respirant l'air salin à pleins poumons.

— Hum...

Elles se retournent finalement dos à la mer pour poursuivre leur activité principale, c'est-à-dire commenter l'allure des différents complexes hôteliers. En quittant le rivage, elles s'intéressent à l'imposante structure architecturale qui s'élève devant elles.

— Débile, cet hôtel-là, hein! Regarde les espèces de lits de plage là-bas, c'est tellement romantique.

En effet, de grands lits à baldaquin s'alignent devant l'hôtel en une rangée bien droite. De grands voilages blancs et légers, attachés de façon plus ou moins serrée à chaque poteau de l'armature de bois, ballottent doucement au gré du vent.

— Surtout très luxueux comme endroit! Probablement un cinq étoiles hyper dispendieux!

— On se rapproche pour y faire du lèche-vitrine?

Les deux vacancières avancent discrètement vers le complexe afin de bien voir l'aménagement intérieur, dont l'accès est psychologiquement bloqué par un alignement de grands cocotiers symétriques.

— *Wow!*

Contrairement au Playa Luna Resort, la superficie du terrain de l'hôtel paraît plus petite, mais tout semble central et, de ce fait, plus près de la plage. Il n'y a donc pas une multitude de petits sentiers menant aux différents attraits du complexe. Les chambres sont situées dans deux immeubles d'environ quinze étages de haut qui se font face. La piscine en forme de couloir sinueux semble faire le tour des bâtiments. Les chaises de plage qui jonchent le parterre sont recouvertes d'épais coussins blancs moelleux à souhait. Tout paraît visiblement très fastueux.

— Écœurant!

Un couple qui quitte justement cet hôtel salue poliment les deux filles en se rendant sur la plage. Le poignet de la femme qui agite la main n'échappe pas à Vicky, qui est soudainement prise d'une illumination.

— T'as vu leur bracelet ?

— Non, quoi ?

— Bleu foncé, comme nous !

— Et après ?

— Viens ! ordonne Vicky en lui tirant le bras.

— Non, on ne peut pas aller se balader dans le complexe le plus dispendieux de Cancún ; on va se faire pincer !

— Ben non ! ben non ! Comme dit l'autre : «*No problemo !*» Il faut juste avoir l'air sûres de nous !

Les filles pénètrent par l'enceinte de la plage et se dirigent sans hésiter au premier bar qu'elles aperçoivent. Elles prennent place sur deux immenses et confortables tabourets de cuir.

— Tu vois ! Pas de problème !

— Pas encore !

Elles observent tout autour d'elles. Un groupe de musiciens anime l'ambiance du bistro-bar. Un serveur, habillé d'un complet très chic, leur propose d'emblée une boisson de choix, en brandissant une bouteille déjà ouverte. Il ne s'agit rien de moins que de champagne.

— *¡Si ! ¡Gracias !* accepte volontiers Vicky, très à l'aise dans toute cette somptuosité.

— Mon Dieu! Ça change des cocktails *cheaps*, trop forts, trop sucrés ou encore fabriqués avec du jus en poudre...

— Ça change aussi du même disque qui semble tourner en boucle depuis le début de la semaine à notre bar!

— Je suis en train de les connaître par cœur et je ne parle pas un mot d'espagnol, imagine!

— C'est juste plate qu'on soit mal habillées!

— Ouin, j'avoue qu'on ne fait pas trop *jet set* avec nos shorts en coton ouaté, approuve Caroline, en jetant un œil à leur tenue.

— J'avais apporté ça pour le yoga...

— Le yoga que t'as jamais fait?

— Pas eu le temps. J'étais trop occupée à ce que toutes les mésaventures du monde entier m'arrivent!

Le serveur dépose les deux flûtes devant elles. Sans tarder, les deux copines les saisissent avant de se dire: «¡Salud!» en gloussant.

JOUR 7
VOL AQ993
CANCÚN–MONTRÉAL
18 H 18

— Je suis vraiment jalouse! Vous êtes restées là-bas longtemps? s'informe Katia.

— Presque deux heures : on a bu du champagne, mangé à leur buffet...

— Buffet de luxe ! Je te jure ! Des fruits de mer, du caviar, des filets mignons chateaubriand, des sushis frais concoctés par un cuisinier devant nous, une sélection de vins d'importation privée. Imagine, un sommelier est venu à notre table pour nous conseiller, explique avec enthousiasme Vicky.

— Comment ça, vous ne m'aviez pas raconté cette escapade ?

Les deux filles se dévisagent, ambivalentes, en essayant de se rappeler en effet le «pourquoi».

— Je ne sais plus trop... Le lendemain, t'es arrivée à la chambre en panique à cause du «Kodak» volé. On y a juste pas repensé, explique Caroline.

— Quel contraste de voir tout le monde habillé super chic, robes longues et tout le kit, et nous deux, les belles nouilles *cheaps* en bermudas de jogging !

Katia, qui s'efforce de rire, adresse à nouveau un reproche à ses amies :

— Je suis très déçue que vous ne m'ayez pas raconté cette aventure. On y serait retournées, voyons !

— Sur le coup, on s'est dit : «Demain, on s'habille super belles et on y revient les trois pour le dernier souper...» Mais après, on s'est rappelé qu'on avait réservé au resto italien avec toute la *gang* de Québécois. Et c'était quand même à une heure de marche, cet hôtel chic, et payer un taxi pour s'y rendre, pas certaine, précise Vicky en grimaçant.

—On aurait dû penser à cette supercherie avant! Aller illégalement dans les hôtels qui distribuent un bracelet de la même couleur que le tien. Il n'y a pas trois cents couleurs possibles. Pourquoi les gens ne le font pas tous? s'interroge Katia, peu fière de ne pas y avoir songé avant.

—Dans les complexes plus bas de gamme, ce doit être du pareil au même dans les restos, dans les bars, mais c'est quand tu en déniches un de riches comme celui-là que l'infraction en vaut la peine!

—Faudrait pas que quelqu'un propage une idée de même publiquement, tous les Québécois se mettraient à frauder de la sorte en vacances[30]!

—Donc, ensuite, vous êtes revenues à pied un peu pompettes? enchaîne Katia pour en arriver aux faits, c'est-à-dire le rendez-vous secret de Caroline et Thomas.

—Oui, à pied. On a ri un bon coup, mais on n'était pas trop paquetées; on a juste pris un verre de vin durant le souper. Ensuite, on est allées faire un petit tour à la discothèque..., poursuit Caroline.

—Attends! Avant, il faut lui raconter comment on a failli avoir l'air vraiment stupides...

—Hein?

---

30. Oups! Trop tard...

— Qui on a rencontré là-bas, Caro ? ajoute Vicky, en guise d'indice, pour lui raviver la mémoire.

— Hish ! Je n'y pensais même plus !

JOUR 5
COMPLEXE HÔTELIER INCONNU
CANCÚN, MEXIQUE

— Ouin ! Je ne me suis pas régalée comme ça depuis le début du voyage !

— On se rend ainsi compte que, par chez nous, les buffets sont assez redondants, merci !

Le ventre bien rempli, nos deux intruses se dirigent vers la plage pour quitter le luxueux complexe. Elles s'immobilisent devant une petite scène, près du bar de la plage. Une pianiste offre une performance remarquable.

— Tellement classe ! apprécie Vicky, en observant la jeune fille derrière son énorme piano à queue.

Elles écoutent la ballade en silence jusqu'à ce que cette douce quiétude soit interrompue par une voix derrière elles :

— Ayoye ! Trop s'a coche !

Les filles, abasourdies, constatent la présence d'un visage bien familier.

— Tristan ?

Un élève de quatrième secondaire à qui elles enseignent toutes les deux se trouve sur la plage, devant elles, accompagné de ses parents.

— Vous êtes dans mon hôtel, genre! C'est mes profs! explique-t-il à ses parents.

— Ah! bonjour! Clémence! se nomme poliment la maman du jeune garçon.

Après les présentations et les poignées de main échangées, le père de l'adolescent entreprend d'interroger les deux professeures.

— C'est curieux qu'on ne vous ait pas vues avant. L'hôtel n'est pas très grand...

— Ouin... c'est *full* genre bizarre, baragouine l'ado boutonneux, toujours aussi stupéfait de rencontrer ses professeures.

— Bien, euh, c'est que..., débute Caroline, en cherchant une façon crédible de justifier leur présence sur les lieux.

Vicky, qui comprend son hésitation, affirme tout bonnement :

— Non, on habite plus loin, là-bas. On venait rencontrer quelqu'un qui séjourne ici, mais on ne l'a pas trouvé. On rentrait.

— Comme c'est malheureux. J'ai une idée : venez avec nous à la réception. Avec son nom, vous obtiendrez certainement le numéro de sa chambre et vous pourrez ainsi laisser un mot dans sa porte, propose gentiment la maman du garçon.

— Euh... Pas besoin, on a rendez-vous demain matin, de toute façon!

— Vous êtes certaines? Ça prendrait deux minutes, insiste encore le couple.

— Non merci, ça va! Bonne soirée à vous! les remercie Caroline en tournant les talons pour se diriger vers le petit sentier menant à la plage.

— Ayoye! Bye, là! À la semaine prochaine, genre, envoie l'étudiant, qui ne semble toujours pas en revenir.

JOUR 7
VOL AQ993
CANCÚN–MONTRÉAL
18 H 20

— Vous auriez dû lui dire: «Non, Tristan, tsé, tes profs sont comme *full* illégales dans ton hôtel, genre!», rigole Katia.

— Tu ris, mais on a patiné pendant quelques secondes. Au bout du compte, ce fut sans conséquence. Je ne pensais pas que les parents de Tristan avaient autant d'argent.

— Moi non plus!

— On ne les a pas vus sur le vol non plus. Ils ont dû arriver un autre jour...

— De toute façon, ce qui m'intéresse le plus, c'est la fin de votre soirée : on était rendues à la discothèque, les presse Katia, avide de connaître la suite.

— Comme on expliquait, on est revenues, on s'est toilettées à la chambre et...

— Vicky s'est changée quarante fois, pour être plus précise ! Je me demandais si on allait arriver avant la fermeture, exagère Caroline en roulant des yeux et en soupirant fortement.

— Pfft !

— Donc, finalement, rendues là-bas...

JOUR 5

PLAYA LUNA RESORT
CANCÚN, MEXIQUE

Debout près du bar de la discothèque, les deux filles discutent avec les vacanciers québécois qu'elles connaissent maintenant fort bien. Vicky ne peut s'empêcher de fixer toutes les trois secondes Dawson, qui danse langoureusement avec Sharon, entouré de toute sa famille et des personnes ayant participé au mariage. La mariée se trouve là aussi, à se déhancher sur la piste de danse.

— Il a l'air en amour ben raide, lui ! Franchement ! C'est ridicule, rage encore Vicky, toujours aussi blessée dans son amour-propre.

— Hum...

Préoccupée par autre chose, Caroline regarde compulsivement l'heure depuis leur entrée dans la discothèque. Elle annonce sans préambule :

— Je suis brûlée, je vais me coucher.

En réalité, elle désire simplement filer à l'anglaise pour rejoindre Thomas, sa montre indiquant 21 h 40.

— Moi aussi ! Ça va faire du bien de se coucher tôt, pour une fois ! Bye, les gars !

« Zut ! Il faut qu'elle reste ici... », s'affole Caroline en cherchant une solution.

— Pas besoin de m'accompagner. Reste avec les gars pour prendre un autre verre avec eux ! Ils aimeraient ça, l'encourage subtilement Caroline, en espérant que son amie se laisse séduire par la proposition.

Les deux Québécois avec qui elles blaguaient acquiescent de la tête.

— Non, repos pour moi ce soir. Bye !

Sur le chemin menant à leur chambre, Caroline pense à une façon de se tirer d'affaire. Vicky s'informe :

— Ça va ? T'as l'air bizarre.

— Non, j'ai juste une puissante migraine, lâche spontanément Caroline, en songeant à la suite.

Rendue à la chambre, elle cède la salle de bain à Vicky pour qu'elle soit la première à se mettre au lit. Son tour venu, elle entre dans la salle de toilette pour retoucher son maquillage et pour se brosser les dents.

— Même pas de télé ce soir. Direct dodo! clame fortement Vicky de façon à être entendue par son amie.

«Super!», pense Caroline, bien d'accord à ce que son amie s'endorme très vite.

Encore tout habillée, Caroline sort doucement de la salle d'eau et annonce avec une voix ténue, en se tenant la tête à deux mains:

— Je vais prendre un peu l'air. Ça fait trop mal... je capote.

— Ah, pauvre toi. As-tu pris des aspirines?

— Oui. Ça va passer, ne t'en fais pas. Bonne nuit. Dors bien.

— Merci, toi aussi.

Elle quitte la chambre. Comme il est déjà 22 h 08, elle court à toutes jambes jusqu'à la plage, craignant que Thomas ne soit déjà parti. Heureusement, une fois rendue, elle le retrouve bien étendu sur un lit de fortune, confectionné à la bonne franquette. Il a rapproché côte à côte deux chaises de plages similaires, recouvertes d'un dessus-de-lit venant de sa chambre. Il a aussi apporté un oreiller.

— Mon Dieu ! On dirait le salon de l'amour dans *Occupation double* ! commente Caroline tout haut, avant de descendre le petit escalier de béton.

— Pas du tout. C'est un lieu privé pour observer les étoiles. On n'est pas ici pour niaiser, affirme Thomas, les yeux toujours rivés vers le ciel.

Amusée par son air très sérieux, elle s'installe près de lui sans dire un mot. Elle murmure, en balayant les alentours des yeux :

— Je n'ai pas d'oreiller, moi ?

— Honnn ! J'ai oublié, fait-il en la positionnant de façon à ce qu'elle observe le ciel, la tête bien au creux de son épaule.

Allongés ensemble, ils contemplent les astres pendant un long moment, entrecoupé de commentaires.

— Ça donne mal à la tête à la longue, déclare Caroline.

Pour plus de confort, elle se met de côté pendant quelques instants. Naturellement, en se retournant, son visage se retrouve collé à celui de Thomas. Ni l'un ni l'autre ne peut échapper à l'appel du baiser. Après une interminable étreinte, ils sont brusquement interrompus par une voix qui les interpelle. Le gardien de sécurité, debout en haut de l'escalier, leur fait des signes incompréhensibles. Thomas finit par comprendre :

— Je pense qu'il veut qu'on remonte les chaises. Quand je suis arrivé, elles étaient empilées sur la dalle de béton, là-bas.

— Allons-y, alors.

Ils se rendent compte que c'était bel et bien ce que le Mexicain voulait, car il repart dès que les chaises reprennent leur place. Une fois seul, le couple réinstalle son lit douillet, mais sur la dalle du complexe de l'hôtel cette fois-ci.

— C'est peut-être un peu moins exotique, mais le ciel reste pareil. Même qu'ici, on est trois mètres plus haut par rapport au niveau de la mer. Donc, techniquement, on est encore plus proches des étoiles, explique Thomas en se recouchant.

Caroline ne tarde pas à l'imiter.

Durant près de deux heures, ils s'embrassent et s'enlacent sous le firmament étincelant du ciel mexicain. Et malgré eux, ils s'endorment...

JOUR 7
VOL AQ993
CANCÚN–MONTRÉAL
18 H 23

— C'est hyper romantique ! s'étonne Vicky qui s'attendait plutôt à une soirée de sexe torride.

— Vous n'avez pas fait l'amour ? Aucune cochonnerie ? demande Katia, aussi surprise que son amie.

— Non, on s'est collés, puis on s'est endormis, se rappelle Caroline.

Rêveuse, elle fixe le sac de papier, mis à la disposition des voyageurs en cas de nausée, situé dans la pochette à l'arrière de chaque siège.

Un troisième ange passe. Tout le monde zieute maintenant le sac de papier, sans vraiment le regarder. Vicky ose briser le silence :

— Vous avez joué au couple, on dirait...

— Ouais, je sais. Je ne connais pas son parcours amoureux, mais je sentais que ce gars-là avait hâte d'avoir une blonde. Sa façon de me toucher, sa douceur...

— C'est étrange quand même, ajoute Katia.

— Quoi ? Qu'on n'ait pas fait l'amour ? Il n'y a pas juste le sexe dans la vie, Miss Buanderie !

— Non, mais le fait que vous étiez là, à faire comme si vous étiez un vrai couple.

— Tu ne m'as pas entendue, quand je suis revenue super tard ? s'informe Caroline à Vicky.

— Non, pas du tout !

— J'avais tellement peur que tu fasses : « Hein, tu reviens ? Il est quelle heure ? » « Euh... Deux heures du matin... » Je m'étais préparé une histoire justifiant m'être endormie sur une chaise près de la piscine, en face de la chambre...

— Menteuse! Quoique ce n'était pas un gros mensonge. Seuls le lieu et l'ajout du partenaire divergeaient de la version originale.

— Sans oublier le mal de tête!

Heureusement, que les filles ne parlent pas trop fort, car Thomas, qui a quitté son siège à l'arrière de l'avion, arrive justement à leur hauteur. Debout, il s'appuie sur le fauteuil de l'allée et s'informe amicalement:

— Salut, les filles! Tout roule?

— Oui! oui! Super! ment Caroline, qui a encore les yeux un peu rougis.

— Hâte d'arriver? demande poliment Vicky pour faire la conversation.

— Bien oui, on est tous excités de rentrer à la maison et de revoir nos proches, hein! À plus!

Il esquisse un large sourire forcé et continue sa route jusqu'aux toilettes. Celles-ci se trouvent à quelques rangées de l'emplacement des filles.

— Euh..., parvient à dire Katia, pour qui la scène parle d'elle-même.

— En tout cas, si toi tu ne l'aimes pas, lui il t'aime. C'est assez évident! Son commentaire: «...excités de rentrer... de revoir nos proches...» est assez éloquent, quand on connaît votre histoire.

— Je suis toute mêlée...

RESTE AU MEXIQUE !

— Bizarre, on dirait que ça me saute aux yeux, «vous deux», tout d'un coup.

Comme Thomas revient dans l'allée, elles changent de sujet à l'unisson et détournent subitement la tête vers le hublot. Captivées, les filles observent les nuages à l'extérieur.

— Il y en a des gros vaporeux, des cumulus aussi. Regardez celui-là, on dirait un nuage de ouate...

— Et par là, regardez, des beaux cunnilingus..., ajoute Vicky, qui tente d'être crédible en employant un langage qu'elle croit scientifique.

— T'es donc ben niaiseuse, se gausse Katia en pouffant de rire.

Caroline écoute ses amies d'une oreille distraite. Au moment où Thomas repasse, elle lève les yeux vers lui. Il lui adresse un demi-sourire, l'air triste. Dès qu'il atteint son siège, les filles se redressent et quittent leur supposée observation passionnée du ciel.

— Des cunnilingus! Est bonne en crime, répète Katia, riant toujours aux larmes. Je vais la réutiliser.

— Des quoi? Je n'écoutais pas, se désole Caroline, qui semble tout à coup revenir sur terre.

— Ça t'ébranle de le voir? fait remarquer Vicky, compte tenu du stoïcisme de son amie.

— Hum, c'est con. Je le connais techniquement à peine, mais on dirait que ça fait déjà longtemps, tente d'expliquer Caroline, empêtrée dans sa formulation.

— Vous avez fusionné !

— Je ne sais pas trop si je crois à ce phénomène, mais certains disent qu'on peut reconnaître des personnes rencontrées dans des vies antérieures et qu'une impression de déjà-vu nous obnubile. Peut-être que c'est simplement ça ? avance Vicky.

— Et le dernier soir de fusion ? s'intéresse maintenant Katia, tout de même très curieuse de connaître la fin de cette idylle de vacances.

— Ce jour-là non plus, je n'étais pas sur Internet ni vraiment partie acheter des souvenirs : on a passé le début de l'après-midi à la mer, juste un peu plus loin de notre hôtel, en face du complexe suivant, à se tripoter comme deux ados en rut. Loin dans la mer, personne ne voit ce que tu fais ; tout le monde s'imagine qu'il s'agit d'un couple qui se rafraîchit dans les vagues... Eille, j'ai eu deux orgasmes et lui un !

— Quoi ? Vous avez fait l'amour dans la mer ?

— Bien quoi ? Tout le monde le fait..., réplique Vicky, se rappelant sa propre expérience.

— On a fait autre chose... je vous passe les détails...

— Coudonc ! Deux vrais obsédés ! ricane Katia, sur un ton laissant croire qu'elle est fière de son amie.

Caroline lui répond d'une moue signifiant : «En parlant d'obsédés, tu remportes la palme avec ton *trip* à trois avec un couple de cochons.» Katia semble très bien saisir l'allusion derrière son expression faciale, et cesse soudainement de rire.

— Ouin, je ne suis effectivement pas vraiment placée pour parler, hein... Bon, enchaîne plutôt avec la fin de ta soirée !

— Vous allez la rire, celle-là ! les prépare Caroline en songeant à la suite.

— Il est difficile de nous surprendre plus, je vais t'avouer...

— Je suis capable, crois-moi ! Le dernier soir, quand on est allés prendre un verre, après le souper de groupe au resto italien...

JOUR 6
PLAYA LUNA RESORT
CANCÚN, MEXIQUE

— Ils ont tous beaucoup de plaisir, hein ? commente Thomas à l'endroit de Caroline qui est debout, près de lui, à la discothèque de l'hôtel.

— Qui ? Katia et son danseur ou Vicky et le petit nouveau ? demande celle-ci en dirigeant en alternance son regard des danseurs qui s'animent sur la piste de danse au couple de «buveurs», debout non loin d'eux, qui s'envoient des téquilas depuis un bon moment déjà.

— Tout ce beau monde-là!

Vicky s'approche justement d'eux.

— Pauvre Thomas! Tu tentes toujours de séduire la belle et inaccessible Caro, hein? lui envoie sans gêne celle-ci, complètement désinhibée par l'alcool.

— Eh oui! Et elle vient une fois de plus de me balayer du revers de la main, sans remords. Je me demandais à l'instant si je devais me mettre à pleurer ici ou si j'allais le faire sur la plage, exagère celui-ci avec une moue boudeuse qui requiert non subtilement la pitié de son entourage.

— Arrête donc! fait Caroline, en lui assénant une légère tape sur le torse.

Patrice, qui ne saisit visiblement pas la plaisanterie sous-entendue, fronce les sourcils et pivote vers Vicky pour la faire danser, toujours aussi maladroitement.

— Il est devenu un grand danseur! lâche Vicky, avant de tournoyer rapidement afin de suivre son cavalier balourd.

— ... ou encore je vais probablement la sauter sauvagement dans ma chambre d'hôtel pour conclure en beauté notre séance de masturbation marine commune d'aujourd'hui, poursuit Thomas, comme si Vicky se trouvait toujours là.

— Chut ! T'es con !

— Allons-nous-en.

— Non, ça serait trop louche... Les filles vont s'en rendre compte, craint Caroline, qui continue d'observer tour à tour ses amies.

— Elles sont soûles et se font peloter par leur gars ! Je te dis : incognito si on s'en va !

— On attend juste un peu...

Une heure plus tard, Katia quitte la discothèque, suivie de Fernando cinq minutes après. Vicky et Patrice se tiennent toujours près du bar, à s'embrasser à pleine bouche maintenant.

— Go ! décide Thomas, sans laisser le temps à Caroline d'y penser.

Une fois tous les deux dehors, il déclare :

— On va à ma chambre ?

— Ton coloc ?

— Je pense qu'il n'est pas là !

— Super !

Cependant, lorsque Thomas arrive devant la porte avec Caroline, un maillot de bain est accroché à la poignée; un code établi par lui et son ami si l'un d'eux y emmène une fille.

— Bon, pas de place où aller! Et pas de condom non plus! lâche Thomas, découragé.

Il prend tout de même le temps de l'embrasser tendrement. Comme l'étreinte est longue et passionnée, un ardent désir s'empare d'eux. Caroline a très envie de faire l'amour une dernière fois avec lui.

— On passe à ma chambre, décide-t-elle en le prenant par la main.

Elle ouvre doucement la porte, comme si elle s'attendait réellement à y voir quelqu'un. Comme la chambre est vide, elle lui fait signe d'entrer. Il l'attire vers le premier lit sans même attendre que la porte soit refermée.

— Eille! eille! On ne reste pas ici! Vicky peut revenir n'importe quand.

— Bien non, elle va coucher dans la chambre de son nouvel ami! Il est venu seul!

— Et Katia?

— Elle doit sans doute être dans la hutte de son Mexicain!

Prise d'un éclair de génie, Caroline fouille dans la valise de Katia et s'empare d'un condom. Elle le glisse dans son sac à main. Puis elle lève les sourcils vers Thomas, en lui coulant un regard aguicheur, avant d'en prendre un autre. À lui maintenant de remuer trois fois les siens, avec des étincelles dans les yeux en guise de : « *Wow* ! Des projets plein la tête ! » Des bruits de pas se font entendre dans le corridor. Caroline, paniquée, ouvre la porte-fenêtre. Sans ménagement, elle pousse Thomas à l'extérieur.

Il a à peine le temps de lui dire : « Calme-t... » qu'elle lui referme la porte au nez. D'un seul coup, elle tire le rideau.

Un couple qui passe devant la piscine dévisage Thomas, car ils l'ont vu se faire radicalement expulser de la chambre. Il reste debout, impuissant. Un autre couple qui fait une promenade nocturne l'observe drôlement. Ainsi planté, Thomas semble plutôt fouiner par les fenêtres à la recherche de stimulations visuelles perverses. Le couple a l'air de s'en choquer et se tourne vers lui toutes les dix secondes.

— C'est mon amie qui habite là..., plaide-t-il pour se disculper.

Sans répondre, l'homme et la femme poursuivent leur route, sceptiques.

Caroline s'aperçoit que ceux qui arrivaient dans le couloir ont bifurqué vers une chambre voisine. Elle se sent soulagée :

— Pfft...

Elle verrouille la porte-fenêtre et sort par le corridor. Une fois rendue à l'extérieur, elle retrouve Thomas assis sur une chaise de plage, qu'il a tirée parmi celles qui sont cordées en rang d'oignons devant la piscine. Elle prend place près de lui.

— Heureusement, ce n'était pas une des filles...

Au même moment, derrière eux sur le petit sentier, une voiturette de golf défile à vive allure vers le chemin menant à la plage. Les deux occupants rient à gorge déployée, le conducteur s'amusant à faire des bruits de moteur : «Vroum! vroum!»

— Deux touristes soûls! présume Thomas.

— Franchement! Ce n'est pas très brillant. Sûrement deux jeunes cons!

— On va où, alors? Là-bas, entre deux palmiers? ironise Thomas, encore découragé de la situation sans issue.

— Non, pas dehors. J'ai une idée. Tu vas voir!

Ils décident de prendre un verre au bar du hall avant de se rendre à l'endroit secret de Caroline. Ils s'assoient sur une grande banquette, un peu en retrait des autres sièges. Les jambes de Caroline par-dessus les siennes, Thomas embrasse sa compagne dans le cou; celle-ci lui susurre des mots coquins à l'oreille... Des rires bruyants fusent de l'autre extrémité de la zone bar. Curieuse, Caroline allonge légèrement le cou dans cette direction. Elle y aperçoit le couple d'échangistes en train de boire de l'eau-de-vie comme du lait, et ce, en très bonne compagnie. Assise sur Claude, Sharon se trémousse et rigole en prenant une téquila, la bretelle de sa robe lui retombant sur l'épaule. Carole la mate sensuellement tout en lui tortillant une mèche de cheveux. Devant tout le monde, Sharon se tourne vers la femme de Claude et plaque sa bouche contre la sienne.

JOUR 7
VOL AQ993
CANCÚN–MONTRÉAL
18 H 25

— NON! beugle Katia.

— Jure-le! crie à son tour Vicky.

Sans surprise, la passagère de devant se retourne en expirant bruyamment dans leur direction. Les trois amies se calment et baissent un peu le ton.

— Je vous le jure!

— Grosse salope! se réjouit Vicky.

Katia regarde son amie avec un visage décomposé. Vicky se reprend:

— Euh... Pas parce qu'elle a fait ça avec eux, mais parce qu'elle a couché avec Dawson aussi, et que je l'aime pas, et...

— C'est correct, la coupe Katia, qui voit bien que sa copine a du mal à s'expliquer et à se sortir du pétrin.

Caroline enchaîne:

— Donc là, je tentais de les observer discrètement sans que Thomas ne remarque quoi que ce soit. Finalement, quelques minutes plus tard, ils sont partis tous ensemble, bras dessus, bras dessous, tout heureux !

— Eh bien !

— Vous n'aviez pas envie de vous joindre à eux ? plaisante Vicky.

— Non, disons que j'avais d'autres plans...

JOUR 6

PLAYA LUNA RESORT
CANCÚN, MEXIQUE

Après un petit moment de pelotonnement discret sur la banquette, la tension sexuelle entre eux atteint un certain paroxysme. Caroline implore Thomas de la suivre. En passant devant le bar, elle commande un autre verre puis elle entraîne son ami plus loin, vers un des chemins adjacents.

— Où va-t-on ?

— Grand curieux...

Tout près de là, elle amorce la descente d'un escalier. En raison de l'obscurité, elle en tâtonne le mur pour s'aider à s'orienter. En bas, une grande porte métallique se dresse devant eux. Elle en tourne doucement la poignée, qui s'avère, à son grand bonheur, déverrouillée. Avant d'entrer dans la pièce, elle jette un rapide regard à l'intérieur. Contre toute attente, elle aperçoit un couple faisant l'amour par-derrière sur une table qui sert probablement à plier les serviettes propres de la buanderie...

JOUR 7
VOL AQ993
CANCÚN–MONTRÉAL
18 H 29

— CRISSE ! C'ÉTAIT TOI ! gueule littéralement Katia, déstabilisée par la fin de l'histoire.

— Pouah ! éclate de rire Vicky, divertie à souhait par ce dénouement délectable et croustillant.

La dame ronchonneuse se retourne encore une fois, toujours en soupirant, insultée par le juron proféré à tue-tête. Une fois de plus, Katia lève les mains pour signifier qu'elle s'excuse.

— Désolée, Kat... J'étais certaine que tu allais chez lui. Du moins, c'est ce que tu m'avais dit, affirme Caroline, en baissant considérablement le ton.

— Non, ce n'était plus possible, finalement. Donc tu m'as vue me faire baiser à quatre pattes ? Misère, je ne suis pas bien, là..., gémit Katia, en se rongeant compulsivement l'ongle du pouce gauche.

— Eille, j'ai presque rien vu, je te jure. J'ai juste fait le saut et refermé la porte très vite. Tout compte fait, j'avais tellement le goût de te rassurer le lendemain quand tu te culpabilisais : « On s'est fait surprendre par une femme de chambre. Il va perdre sa *job*... blablabla... »

— Je vais lui écrire une lettre, et lui dessiner des papillons, pour lui mentionner de ne pas s'en faire, divague Katia, tout de même contente de savoir que cela n'entraînera aucune conséquence fâcheuse pour Fernando.

— Et tu nous as vus passer avec la voiturette de golf, en plus ! Celle-là est bonne : « Ce doit être deux jeunes cons ! », s'amuse encore Vicky, en répétant les propos de Caroline.

— Méchante soirée entremêlée ! Comme dans les films quand le destin de tout le monde s'avère interrelié dans le temps !

— Notre voyage a été écrit par Quentin Tarantino !

— Donc pas de baise pour vous ce soir-là, en fin du compte ?

— Eille, vous ne voulez sûrement pas savoir où on est allés !

— *Shoot ! Anyway*, ton aventure n'a plus vraiment de secret pour nous maintenant ! Et, en passant, tu remportes vraiment la palme de la témérité et des rebondissements inattendus !

— Comme je vous le disais, j'ai fait un méchant saut en vous voyant sur la table. On s'est donc sauvés...

JOUR 6

PLAYA LUNA RESORT
CANCÚN, MEXIQUE

— Chut! Vite, remonte! Vite! murmure Caroline, en poussant précipitamment Thomas vers l'escalier.

— Quoi? Qu'est-ce qu'il y a? Y a du monde qui travaille à cette heure-là? s'informe Thomas, qui n'a rien vu de la scène érotique.

Une fois plus loin, et tout en marchant d'un pas rapide, Caroline lui explique, sans rentrer dans les détails:

— Disons qu'ils ne «travaillaient» pas vraiment...

Elle accompagne son commentaire flou d'une mimique qui en dit long quant à la scène obscène qui se déroulait dans la buanderie.

— OK, ah... d'accord... ils... euh..., comprend Thomas. Coudonc, les problèmes d'intimité dans les chambres touchent beaucoup de voyageurs! Je vais me plaindre à la réception demain! Ils ne sont pas de service: ils devraient louer des chambres à l'heure...

— Bien oui! Venez avec vos enfants dans notre «tout inclus» familial, où nous louons aussi des chambres de passe à l'heure à compter de 21 h!

— Voilà vraiment une idée géniale. Faut la proposer.

— J'ai une dernière option, suis-moi!

— À te voir aller, on pourrait croire que t'as eu trois, quatre amants durant tes vacances, la nargue-t-il, impressionné par son sens de l'organisation, mais surtout par sa connaissance des lieux clandestins du complexe hôtelier.

— Pfft! Des «adons».

Caroline entre dans le premier module de chambres qu'ils croisent. Elle parcourt fébrilement le corridor jusqu'au bout et ouvre une porte, entre la chambre du fond et celle du milieu. Le placard à balais. Les tablettes placées en hauteur contiennent plusieurs draps et couvre-lits propres, une chaise, un chariot pour femme de chambre, les divers articles nécessaires à l'entretien ménager et... bingo! Le gros lot: un lit d'appoint pliable qu'on prête aux touristes lorsqu'ils sont trois à partager une même chambre. Thomas sourit en faisant rapidement le tour de la petite pièce. Puis il sort le chariot à roulettes pour pouvoir y ouvrir le lit, qui entre de justesse dans l'espace restreint. Il déplie une couverture propre qu'il étale sur la couchette. Il s'y étend en invitant sa compagne à le rejoindre. Elle sourit et se blottit contre son épaule quelques instants. Elle approche ensuite son visage du sien pour l'embrasser.

— C'est parfait ...

— On se fait des petits lits partout, nous autres! blague Thomas en enlevant son chandail.

JOUR 7
VOL AQ993
CANCÚN–MONTRÉAL
18 H 32

— Vous étiez donc confortables ! roucoule Vicky, de plus en plus touchée par la nature de l'aventure extra-conjugale de son amie.

— Il n'y avait pas de lit dans le placard près de la première chambre qu'ils nous avaient assignée au départ ? fait remarquer Katia, jalouse de la cachette trouvée par Caroline.

— Mais non, ce fut la chance de la dernière soirée..., affirme-t-elle, nostalgique.

— As-tu déjà vu du monde jouer aux fesses partout de même, toi ! Je suis par contre un peu déçue que Fernando n'ait pas songé au petit lit, poursuit Katia.

— Moi, lors de mon prochain voyage, je prends une chambre toute seule si je suis encore célibataire, déclare officiellement Vicky.

— En tout cas, je n'en reviens encore pas de toute ton histoire et de cette liaison, dans notre dos, sans qu'on ne se soit douté de rien du tout ! la félicite presque Katia, avec un ton admiratif.

— Bien là, je ne mérite pas une plaque commémorative, quand même !

— Peut-être. Si je ne te connaissais pas, je croirais que t'es une vraie pro! ajoute Vicky.

Au moment où elle lève les yeux, elle voit passer le «voisin» qui se rend aussi aux toilettes, vers le devant de l'avion.

— *Shit!* Lui, il faudrait vraiment l'éliminer avant d'atterrir en sol canadien, exagère-t-elle, le regard menaçant.

— Peut-être qu'il ne dira rien, non plus. Es-tu convaincue que Christian est un si grand ami que ça? s'informe Caroline.

— Je te jure: «grand», ce n'est pas le mot. Il adule carrément Christian, ce gars-là. «Y est beau ton char, Christian... T'as acheté un super ensemble pour patio, Christian... Viens-tu écouter la *game* chez nous, Christian... Est-ce que je peux te lécher le cul, Christian...», l'imite stupidement Vicky, en râlant d'une voix aiguë et discordante.

— Tant que ça.

— Je suis tellement déçue de savoir que tout se terminera probablement de cette manière. Eille, ce n'est pas comme si j'avais passé des moments merveilleux: j'ai couché avec la pute du Playa Luna Resort; ensuite, j'ai passé la nuit avec un soûl qui ne bandait pas!

— Ouin... Mais il était équipé rare!

Lorsque le «voisin» revient vers elles, les trois filles le dévisagent. Gêné, il esquisse un demi-sourire, en disant simplement:

— Salut...

Il poursuit sa route en toute hâte. Les filles se regardent quelques instants, car elles ont bien évidemment décelé l'indisposition de l'homme.

— Vous voyez son air ! Il lui a déjà dit, j'en suis certaine. Il est bien trop mal à l'aise ! Pfft...

Katia lui passe la main sur l'épaule, compatissant avec son amie. Vicky demande :

— Toi, tu as dit au revoir à Thomas, ce matin ?

— Non, hier. Bien, plutôt, dans la nuit. En fait, je me suis endormie contre lui dans le petit lit. Lorsque je me suis réveillée, j'avais très peur que vous découvriez le pot aux roses. C'est pourquoi je suis retournée à la chambre...

— T'es rentrée probablement juste avant moi, donc, s'informe Katia, qui était aussi revenue au petit matin.

— Oui, je ne dormais pas encore quand tu es arrivée. Je faisais semblant..., avoue Caroline. Quand j'ai ouvert un œil et que j'ai réalisé que j'étais toujours dans le placard avec Thomas, j'ai dit...

JOUR 7

PLAYA LUNA RESORT
CANCÚN, MEXIQUE

— Merde... quelle heure est-il ?

— Euh... 4 h, la renseigne Thomas en s'étirant légèrement, étant donné qu'il s'était assoupi lui aussi.

— Oh non! Faut absolument que j'y aille, panique Caroline, en se redressant dans le lit.

— Non, reste ici, la prie-t-il, en la serrant très fort contre lui.

— Je ne peux pas, les filles vont se douter de quelque chose.

— On part tantôt...

— Je sais, dit-elle en se dégageant pour se rhabiller.

Elle le fixe un instant, le regard mélancolique. Thomas, les bras derrière la nuque, tourne la tête vers le balai qui gît près de lui, un peu irrité. Un immense malaise envahit le placard, car chacun sait que le temps des adieux semble bel et bien arrivé.

— Bon bien...

— Hum...

— C'est con en estie la vie, des fois; on rencontre des gens, on passe du bon temps et..., débute-t-il sans terminer son idée.

Comprenant tout à fait ce à quoi il fait allusion, Caroline se rassoit doucement sur le lit, tout près de ses pieds. Elle fixe maintenant le sol, muette.

— Tu vas retourner dans ta vie familiale et notre histoire ne sera qu'un simple souvenir de vacances parmi tant d'autres.

— Ce ne sera pas un «simple» souvenir de vacances…, tente de rationaliser celle-ci pour donner un certain crédit à leur aventure.

— C'est dommage, car je te trouvais vraiment «trippante».

— Moi aussi… mais… Je voulais te dire quelque chose de délicat: mon conjoint vient me chercher demain à l'aéroport, si jamais…

— Inquiète-toi pas! Je ne suis pas du genre à t'embêter. Je vais passer à côté de toi sans même te regarder, la rassure Thomas en s'efforçant de sourire, tout de même agacé de cette précision.

— Bon bien, on se croise tantôt.

— Oui, bonne fin de nuit.

JOUR 7
VOL AQ993
CANCÚN–MONTRÉAL
18 H 36

— Ouin… assez ordinaire, commente Vicky.

— Mais comment vouliez-vous que je termine cette griserie de «*cruising*»? On dirait qu'en me levant de ce lit, la perspective du départ me ramenait à la réalité et là, je capotais: j'ai un *chum*, un enfant… Comment ai-je pu faire une coupure aussi franche pour vivre cet adultère sans trop me poser de questions? panique de nouveau la fautive, en repensant à tout ça.

351

— Tu l'as dit : une coupure franche.

— Et comment je vis avec la suite, moi ?

— Tu l'aimes, Éric ?

— Oui, mais c'est facile après sept ans de vie commune de trouver tout ce qu'il y a ailleurs de plus intéressant. On est moins centrés sur notre couple depuis que notre fils est né ; on prend moins soin l'un de l'autre ; je me sens le plus souvent comme une maman et non comme une femme. Thomas m'a fait sentir tellement spéciale, tellement belle...

— On parle souvent des «sept ans fatals» dans le processus de vie à deux, se rappelle Vicky, même si elle ne parle pas de son vécu.

— On parle aussi souvent des «trois ans fatals», des «cinq ans fatals», même des «trois mois fatals». Donc je pense que, en couple, on est tout le temps dans la fatalité que ça se termine abruptement, précise Caroline. Tous les couples savent qu'on doit entretenir la flamme, la passion, blablabla. Mais je vous jure que ce n'est pas si évident dans la réalité.

— C'est à toi d'identifier ce que tu veux, tes objectifs dans la vie. Je sais que je ne peux pas vraiment te conseiller, parce que je n'ai pas de famille et que je n'ai jamais eu de relation de couple aussi longue. Mais il faut que tu évalues ce que tu désires à long terme, affirme Katia, qui tente en vain d'éclairer son amie.

— Moi non plus. On dirait que je ne peux pas te donner des conseils, renchérit Vicky.

— De toute façon, ce qui est fait est fait. Il est trop tard pour revenir en arrière. Je dois regarder en avant et ce n'est pas nécessairement encourageant. Je ne veux pas élever mon petit loup en garde partagée...

— Mais sache une chose, Caro : on s'est juré que «ce qui s'est passé au Mexique reste au Mexique», lui rappelle Katia, solidaire.

— Justement, j'aimerais qu'on fasse une dernière chose ensemble : qu'on efface les clichés compromettants de Thomas et moi sur nos trois caméras...

— En effet, je me souviens que j'en ai quelques-uns sur la mienne, se souvient Katia.

— Moi, je n'ai même pas regardé toutes mes photos. Je n'en ai pas beaucoup, mais bon, avise Vicky en sortant son appareil.

Les filles, très concentrées, se mettent à la tâche. Elles montrent les photos à Caroline afin qu'elle détermine celles qu'elle aimerait supprimer ou non.

— Elle ? demande Katia.

— Efface-la. Il me serre la taille, on est proches un peu...

— Hish... Sur celle-là, vous dansez ensemble. Oublie ça, lui présente Vicky avant de la détruire également.

— Celle-là peut passer. Il y a plein de monde assis avec vous sur les chaises, déclare Katia, en lui en exhibant une autre.

353

— Ouais.

Vicky, qui découvre la plupart de ses photos à l'instant même, est excitée par une en particulier qui illustre Katia et Caroline sur la plage :

— *Wow !* Celle-là de vous deux est vraiment belle !

Sans rien dire, elle montre de nouveau aux filles la photo de Patrice en habit d'Adam. Celles-ci sourient puis retournent à leur tâche, concentrées.

— Je vais la conserver juste le temps de la montrer à ma cousine Jasmine, dit Vicky pour se justifier encore une fois, avant de s'écrier, en fixant son appareil : «Hein ? Quessé ça ?»

Elle présente à ses copines un cliché, pris à la hauteur du nombril, dans le maillot d'un gars inconnu ; en gros plan, on voit un pénis et la main gauche du propriétaire du short qui tient son vêtement ouvert pour réaliser le cliché.

— Ben voyons ! C'est le pénis de qui ?

Évidemment, la femme de devant, qui vient d'entendre le mot «pénis» prononcé de façon très audible, se retourne une fois de plus vers les passagères sans scrupules. Au moment où Katia revient dans sa position initiale, après avoir admiré ladite photo, elle chuchote :

— La vieille gribiche, avec son air scandalisé toutes les deux minutes, m'énerve royalement. Je suis à veille de le lui dire, je vous jure !

— Comprends-la un peu! Depuis le début du vol, on pleure, on se mouche, on chiale, on sacre, et là, on crie des «pénis» à tue-tête dans l'avion...

Vicky, qui scrute le cliché du phallus de l'inconnu, s'interroge à voix basse:

— Je ne sais pas du tout qui c'est...

— Montre encore, la prie Caroline, en analysant de nouveau l'image. C'est vraiment quelqu'un qui a pris lui-même la photo dans son maillot.

— C'est donc bien drôle! lâche Katia, en arrachant l'appareil des mains de Caroline afin de voir à son tour de nouveau.

— Ce n'est pas Fernando, en tout cas.

— Et ce n'est pas Thomas.

— Ni Pat ou Dawson.

— C'est qui? Je ne reconnais pas le maillot non plus. On dirait qu'il est noir et rouge. Ça vous dit quelque chose?

— Ça peut être vraiment n'importe qui! On a passé la semaine avec une dizaine de personnes, et les «Kodaks» de tout le monde traînaient partout, tout le temps!

— Une chance que je l'ai découvert maintenant: tu me vois présenter fièrement mes photos de voyage à quelqu'un: «Ici, on voit la plage. Voilà les filles qui dansent. Et là... euh... ça, c'est le pénis d'un vacancier inconnu !» Essaie de justifier, de façon crédible, que tu ne sais pas à qui c'est ? Par contre, je vais la garder, juste pour la montrer à Jasmine également. C'est vraiment son genre d'humour.

— C'est très drôle !

Les filles terminent de faire le tour des clichés.

Comme le commandant de bord annonce aux passagers que l'avion amorce sa descente, les filles rangent leurs effets sous le siège devant elles et soupirent toutes en chœur.

— Retour à la réalité !

JOUR 7
AÉROPORT PIERRE-
ELLIOTT-TRUDEAU

Les trois amies réfléchissent, toutes silencieuses, dans la file de gens attendant à la queue leu leu de quitter l'appareil. Aucune d'elles ne parle. Leurs yeux cernés prouvent que la semaine a été tumultueuse. Heureusement, leur teint hâlé dissimule leurs traits tirés. Enfin, les vacanciers se déplacent tranquillement dans les allées pour emprunter le corridor mobile qui relie l'avion au terminal. Vicky, qui traîne un peu la patte, marche derrière ses amies. Puis tout le monde accélère le pas lorsque vient le moment de descendre l'escalier qui conduit aux guichets des douaniers. La majorité espère qu'il n'y aura pas foule à la douane, toujours bondée. Vicky avance silencieusement comme ses amies. Soudainement, quelqu'un lui touche le bras.

— Écoute, Vicky, je veux te parler de quelque chose, annonce sans préambule le «voisin», qui semblait l'attendre près du mur.

Elle s'étonne de son geste, mais ralentit le pas. Il se joint à ses côtés pour marcher. Ses amies font mine de rien et poursuivent leur route.

— Je suis super mal de te dire ce que je dois te dire. Je me sens surtout tellement con...

Impatiente, elle le coupe :

— Regarde, on ne passera pas par quatre chemins. Je le sais que tu le sais et que tu connais bien Christian...

Il la regarde, perplexe, pas certain de saisir où elle veut en venir. Trop curieux face à la tournure que prend la conversation, il l'encourage à continuer :

— Et puis ?

— Bien, si tu veux lui dire, je ne peux rien faire. Mais sache qu'on n'est pas officiellement ensemble, lui et moi, comme tu sembles le croire. Donc techniquement, je ne l'ai pas trompé.

— Trompé ? Christian ?

Visiblement confus, le «voisin» hausse les épaules en écartant les mains pour lui signifier qu'il est perdu.

— Quoi ? Tu ne m'as pas vue ?

— Vue où ?

— Dans la mer avec un gars, le troisième soir...

— Non.

— Cibole ! Et là, moi l'idiote, je viens de te le dire !

— Mais par contre, c'est de ce soir-là aussi que je voulais te parler...

— Moi, je t'ai vu. T'étais avec Sharon, la..., s'interrompt Vicky, qui s'apprêtait à dire : « la pétasse ».

— C'est justement ça.

— Quoi ?

— Bien si tu me dis que toi et Christian ce n'est pas officiel, pour moi, disons que ce n'est pas le cas : j'ai une blonde, depuis trois ans... J'ai fait le con et je le regrette.

— OK, comprend tout à coup Vicky, qui se retient presque de crier de joie.

Elle revoit les moments où le malaise les gagnait les jours suivant le fameux troisième soir et se rend compte que ce n'était pas du tout en lien avec elle et Christian, mais bien avec ce qu'elle avait pu voir.

— Alors, si tu continues à fréquenter Christian, tu croiseras ma blonde dans les couloirs de l'immeuble, c'est certain. J'ai été con, soûl mort, avec la plus conne de l'hôtel en plus. Câlisse !

— Là-dessus, je te comprends ! Se taper Sharon, c'était une gratuité incluse dans le forfait de l'hôtel !

— Pourquoi tu dis ça ? Je n'ai pas été le seul ?

— Laisse faire…

Il se tait et fixe le tapis gris-bleu foncé qui défile sous leurs pieds. Vicky, qui perçoit ses angoisses, lui propose gentiment :

— Écoute, ça peut arriver à tout le monde de faire des gaffes et je n'ai pas à me mêler de ta vie de couple.

Il se retourne vers elle, le regard insistant ; il voudrait qu'elle lui confirme concrètement ce à quoi elle vient de faire allusion. Elle sourit en détachant sa main de son flanc, sa paume ouverte vers le sol :

— Ce qui s'est passé au Mexique reste au Mexique !

Il met sa main sur la sienne et sourit à son tour :

— Merci beaucoup !

— Je n'en reviens pas, murmure Caroline, le «voisin» ne se trouvant pas trop loin d'elles dans l'interminable file pour passer la douane.

— Moi, je vais assurément devenir parano ; tout le monde est infidèle, bordel ! Si jamais je me fais un *chum*, pas question qu'il parte seul ou avec ses amis dans le Sud ! s'insurge Katia, bouleversée par ce dernier détail.

— Au moins, la bonne nouvelle, je vais revoir Christian ! Je suis tellement contente, les filles ! Je vais lui envoyer un message texte lui disant que je suis arrivée, s'excite-t-elle, en ouvrant son cellulaire.

Caroline serpente l'allée, délimitée de chaque côté par des rubans, qui regorge de voyageurs, et tente d'analyser son sentiment intérieur. Elle ne peut s'empêcher de chercher Thomas des yeux ; mais, en même temps, le voyage semble déjà très loin dans sa tête. Elle s'ennuie à mourir de son fils, elle a aussi hâte de voir son *chum*.

— C'est vrai, je voulais laisser un message au beau Pat ! se souvient Vicky, qui cherche dans son répertoire de contacts son numéro. Voilà !

Elle colle le téléphone sur son oreille, tout en continuant d'avancer dans la file. Puis elle éloigne l'appareil de son pavillon pour en scruter attentivement l'écran. Elle fronce les sourcils, et recompose de nouveau. Les deux filles l'observent, croyant que son cellulaire vient de tomber en panne, faute d'avoir été insuffisamment alimenté.

— Calvaire ! rage-t-elle en mettant son appareil sur mains libres et le volume au minimum pour que les filles entendent le message : «...pas d'abonné au numéro composé. Ceci est un message enregistré.»

— Aaaah non ! Tout porte à croire qu'il voulait vraiment juste une aventure de voyage, se désole Caroline, en pensant au montant que Vicky devra finalement débourser seule.

— Y a-tu moyen que je ne rencontre pas juste des trous de cul, moi !

— La réceptionniste pouvait bien ne pas trouver de Patrice dans sa liste de clients ! Ça ne doit pas être son vrai nom !

Un message texte entre sur son portable :

J'ai hâte de te voir, beauté ! Viens chez moi ce soir ! xxx

— Christian ? C'est peut-être lui ton «pas trou de cul», Vic, avance Caroline, en frottant le dos de son amie.

— Des fois, on cherche à faire une tarte chez le voisin, mais le pommier se trouve dans notre cour !

— Quoi ? s'étonne Vicky, pas convaincue de l'explica-tion métaphorique de son amie.

— Bah, je viens d'inventer ça, à brûle-pourpoint...

Elle esquisse tout de même un sourire en agitant rapidement les doigts sur son clavier tactile. En fermant son appareil, elle soulève la tête, le regard chargé de colère :

— Ça se peut qu'il y ait une photo de grosse graine molle qui circule sur le Net, qui sait !

Caroline porte la main à sa bouche, ses yeux s'arron-dissant comme des soucoupes. Katia approuve :

— Mets-en !

— Non pas que je sois une fille rancunière, mais...

— Bien non, on a bien vu ça. Moi, je ne te ferai jamais suer, en tout cas. Promis!

— Ça va? s'informe Vicky à Caroline, qui paraît en effet bien préoccupée en attendant sa valise près du carrousel.

— Je suis anxieuse, confuse. C'est comme si je sens que, lorsque je verrai Éric de l'autre côté des portes, je saurai instantanément si c'est encore vraiment la relation que je veux.

— Comme si on se trouvait dans un monde parallèle, juste tout près de la galaxie de la réalité! s'amuse Vicky.

— Hum...

En levant la tête, Caroline aperçoit Thomas au loin qui attend ses bagages lui aussi. Leur regard se croise à peine, car il détourne les yeux en se sachant observé. Vicky, les yeux perchés haut également, envoie un clin d'œil au voisin, qui lui fait une moue du genre: «C'est long...» Katia, aussi dans l'attente de ses bagages, repère le grand inconnu qui a semblé la connaître tout au long du voyage.

— On règle TOUS les dossiers! C'est le temps ou jamais, lâche-t-elle à ses amies sans explication, avant de se rendre près de lui.

— Salut!

— Salut! Pfft... Sti que c'est long, hein? lui lance le gars, qui paraît épuisé comme tous les vacanciers et, surtout, moins dans une énergie propice à déconner.

— Faut que je te dise quelque chose d'important. On niaise depuis le début du voyage et, si tu veux réellement la vérité, j'étais complètement bourrée le premier soir et je ne me souviens vraiment de RIEN du tout. Je ne te connais pas! Je ne faisais pas semblant de ne pas te reconnaître. J'ai honte à mourir et ça m'angoisse tellement de ne pas me souvenir de ce qui s'est passé entre nous, c'est con, je *feel* super mal...

Comme elle paraît un peu hystérique dans sa verbo-motricité extrême, il lui coupe la parole en levant la main :

— Hé, hé, hé! Je ne pensais pas te faire sentir mal de même. Capote pas. Je vais t'avouer quelque chose aussi : on ne se connaît pas, on s'est à peine parlé ce soir-là ; on s'est dit nos noms et deux ou trois niaiseries, c'est tout. Mais je te le jure, il ne s'est rien passé entre nous. Avec mes *chums*, on était soûls aussi et on se disait : « Imagine, tu choisis une fille paquetée un soir, et là, le lendemain t'arrives au buffet et tu la salues super motivé, comme s'il s'était passé quelque chose de torride la veille ; la fille est toute mêlée car elle ne s'en souvient pas, mais comme elle était soûle, elle se remet en question... » En tout cas, sur le moment, on se trouvait bien drôles. Et ce soir-là, en te voyant au bar faire tourner un soutien-gorge au-dessus de ta tête, je vais t'avouer que t'étais une bonne candidate!

— T'es sérieux? Une *joke*?

— Oui, je te le jure. Mais là je me sens mal, je m'excuse sincèrement. Je ne voulais pas que tu capotes autant avec ce gag... un peu con, se repent-il, conscient que la blague était peut-être de très mauvais goût.

— Pfft..., souffle-t-elle, soulagée, en balançant la tête vers l'arrière.

Il la sent libérée et ne peut s'empêcher d'esquisser un sourire. Elle enchaîne avec une autre question :

— Est-ce que c'est vous aussi, les petits comiques, qui prenez en photo vos pénis sur les «Kodaks» des autres ?

— HEIN ? sursaute le gars, le visage en point d'interrogation, mais amusé.

Elle lui explique la découverte du cliché-surprise sur l'appareil de son amie. Totalement hilare, le gars déclare :

— Je copie-colle lors de mon prochain voyage, c'est sûr et certain ! Voyons, c'est donc bien drôle cette connerie ! Brillant ! C'est un peu notre genre de «bonne idée», justement.

— Moi, c'est Katia !

— Je le sais. Pierre-Yves, affirme celui-ci à son tour, en lui souriant à belles dents.

— Tu pourras te vanter à tes *chums* que ta manœuvre a bien fonctionné, en tout cas !

Un peu gênés, ils échangent de nouveau un sourire. Il ose :

— Ce qui est plate dans l'histoire par contre, c'est que je ne l'ai pas pour vrai, ton numéro...

— OK... faudrait que je te le donne alors, envoie-t-elle, en sortant son téléphone portable tout en lui décochant une œillade coquine.

— Ça se peut-tu? Une *joke*? Me semblait, aussi. On aurait eu connaissance de quelque chose ce soir-là, des aveux de ta part du moins, réagit Vicky, en se demandant encore si elle trouve la plaisanterie amusante ou pas.

— C'est plate parce que ç'a été moi la victime, mais avouez que c'est quand même drôle et assez inoffensif, finalement, rectifie Katia.

— Ça ferait une bonne pub de prévention pour la Société des alcools du Québec! Voyez ce qui peut arriver si vous buvez trop : vous faites des trucs à un inconnu, il vous reconnaît, mais vous, pas! Consommez prudemment!

Tous les bagages en main, les filles se dirigent lentement vers les grandes portes des arrivées. Comme Caroline semble très nerveuse, Katia la rassure :

— Ça va aller...

Elles remettent leur carton de déclaration aux deux agents près de la sortie. En silence, comme sur un fond musical et au ralenti, les filles traversent la porte comme on franchit la dernière étape d'une activité sportive éprouvante ;

le regard fatigué, un soulagement au cœur, comme contentes que le voyage maudit soit enfin terminé.

— Maman! crie très fort le fils de Caroline en courant vers elle.

Elle se penche pour l'accueillir dans ses bras et retient presque des larmes de joie en sentant son petit corps chaud contre le sien. Son bébé. Elle le soulève de terre, il reste accroché à son cou en enroulant ses courtes jambes autour de sa taille, comme le ferait un petit singe. Éric approche en souriant:

— Mon amour..., avant de l'embrasser discrètement, en caressant aussi les cheveux de son fils, toujours tapi dans le cou de sa mère. Je suis content de te voir. T'as des tresses?

— J'enlève ça aussitôt que je mets les pieds dans la maison, le rassure celle-ci, en lui faisant un clin d'œil qu'il lui renvoie aussitôt.

Les filles regardent la scène, touchées. Thomas, qui suivait le flot de touristes à plusieurs mètres d'elles, a toujours un œil sur Caroline; il ne peut s'empêcher de l'espionner et d'assister aux heureuses retrouvailles. Il ressent un vif pincement au cœur. Après avoir tourné les talons, il s'en va rejoindre son copain de voyage près des portes battantes menant à l'extérieur.

Après plusieurs minutes de câlins familiaux, Éric propose:

— Restez ici, je vais aller chercher la voiture!

—Moi, je reste avec maman! décide le petit, en s'accrochant de nouveau à sa mère.

—Pas de problème, mon cœur!

Éric embrasse de nouveau Caroline avant de se rendre au stationnement. Elle le regarde s'éloigner par l'une des portes, le sourire aux lèvres. Elle déclare à ses amies:

—Maintenant, je le sais ce que je veux.

—Veux aller voir l'avion, dit son garçon, en pointant un appareil miniature exposé sous une grosse cloche de verre.

—Vas-y, mon amour, l'encourage-t-elle, en avançant avec ses amies, mais à pas de tortue, pour être tout de même pas trop loin de son fils.

—Alors, tout est bien qui finit bien, je pense! Compte tenu de tout ce qu'on a vécu, c'est pas si mal!

—Pas pour moi. Il me reste des tests à passer à l'hôpital, et une carte Visa en souffrance, rappelle Vicky, consciente que son aventure avec Dawson pourrait avoir des conséquences désastreuses.

—Ça va être correct!

—Mais avec la semaine de fous qu'on a eue, ça place la barre haute pour être surprises dans la vie, maintenant!

—Mets-en! *My god!* Il n'y a plus rien de grave à présent! Ha! ha! ha! rigole Katia, avant qu'un homme les intercepte par-derrière, contrarié.

— Excusez-moi, les filles...

Coup de théâtre! C'est le type inconnu qui s'est réveillé couché sur leur balcon, le premier matin du voyage. Celui qui arborait avec grâce le soutien-gorge de Katia sur sa tête. Les filles se retournent, sans rien dire, étonnées, la bouche ouverte. Caroline jette sporadiquement un œil vers son fils pour ramener son attention vers l'homme, attendant impatiemment qu'il justifie cet imprévisible abord. Il farfouille dans son téléphone cellulaire et déclare :

— Écoutez. On ne se connaît pas vraiment, et je suis un peu mal à l'aise. Mais en attendant ma valise tantôt, j'ai ouvert ma page Facebook; j'ai visionné un truc et, euh... je voulais venir vous le dire.

Elles se penchent sur son téléphone intelligent et plissent des yeux pour bien voir. Une vidéo intitulée «Pitounes en voyage» défile sur le petit écran. Les filles reconnaissent bien évidemment les Norvégiennes blondes, les seins nus, s'esclaffant dans les vagues. Elles appréhendent vraiment la suite du visionnement. Misère! Celui qui filme passe des filles blondes se baignant dans la mer à elles, les seins à l'air, assises sur leur chaise de plage, qui cognent leur verre avant de regarder en direction des baigneuses. Même si l'apprenti caméraman bouge, on perçoit très bien leur visage.

— BEN VOYONS! rugit Caroline, en portant la main à sa bouche.

— Qui a affiché ce film sur son mur?

— Un monsieur que j'ai rencontré un soir et qui m'a ajoutée dans ses contacts. Il s'appelle Claude...

— QUOI? Est-ce que tu as bien dit Claude? bouillonne Katia, complètement hors d'elle.

— Je vous l'avais bien dit : les maudits zooms, enrage Vicky, qui se souvient très bien avoir vu des gens filmer les Norvégiennes au loin.

Katia, en furie, arrache le cellulaire des mains de l'homme pour voir de nouveau et, surtout, pour s'informer d'un détail crucial. Elle annonce aux filles, découragée :

— *Shit!* Déjà 6 457 clics sur YouTube... et 428 partages sur Facebook. Eille, ce qui se passe au Mexique ne reste pas au Mexique pantoute, hein !

ÉPILOGUE

Quelques jours plus tard...

Assis dans la salle de pauses de leur école secondaire, quelques enseignants écoutent avec attention le dénouement de la semaine de relâche de la professeure de sciences qui raconte son escapade de ski familiale à Bromont.

— Que du beau temps, et la poudreuse était parfaite. Et que dire du *condo*? Super confortable; les enfants ont adoré le spa dehors!

— *Wow!* commente une femme, ravie pour sa collègue.

Une jeune prof de mathématiques, curieuse, se tourne vers Vicky. Celle-ci se fait couler un café dans la machine payante.

— Les vacancières du Sud, elles?

Les trois filles concernées ne répondent rien: elles haussent les épaules en souriant; un beau déni de groupe flagrant à propos de la question posée.

— Racontez-nous votre voyage au Mexique! insiste de nouveau la fille, excitée, en tapant dans ses mains.

— Bien, euh... Il n'y a vraiment pas grand-chose à dire, commence Caroline en dévisageant ses compagnes, pour les presser à trouver quelque chose d'intelligent à ajouter.

— La plage, le soleil, il faisait beau... Pas trop de nuages, hein, les filles? poursuit Katia, en faisant un compte rendu climatique de la semaine.

Vicky glousse discrètement en repensant à sa blague de «cunnilingus».

— Y avait-il du beau monde? demande une autre collègue, en leur adressant une œillade complice.

— Bah... pas vraiment. Des familles et des couples surtout. Il y avait un G.O. *cute* par contre, mais on était trop gênées pour lui parler, explique Katia, en inclinant la tête, sérieuse et embarrassée à la fois.

— De toute façon, on n'était vraiment pas là pour ça non plus! déclare Vicky, sûre d'elle.

— On voulait relaxer, lire de bons livres, rajoute Caroline, un air zen et détendu imprimé sur le visage.

— Superbe! T'as lu quoi? s'informe une autre professeure de français, interpellée par le sujet.

— Euh..., hésite la principale intéressée, prise de court par ce détail inutile.

Vicky vient à sa rescousse en enchaînant rapidement:

— Je participais à des séances de yoga tous les matins au lever du soleil. Fantastique! La nourriture était succulente, aucune observation négative! Miam...

— Ah oui ? Vous êtes bien chanceuses. Quand je suis allée à Riviera Maya, on avait été tellement déçus de la nourriture. Il n'y avait presque jamais de fruits de mer et…, commence la prof de chimie, en décrivant en détail ses propres impressions concernant les mets de l'hôtel où elle avait jadis séjourné.

Les trois filles paraissent beaucoup trop absorbées par sa critique culinaire, si heureuses que leur collègue fasse diversion en détournant la conversation vers sa propre expérience de voyage. Hélas, la tenace enseignante de mathématiques revient à la charge quelques minutes plus tard :

— Non mais, c'est certain que vous avez vécu des choses cocasses et des situations drôles. Voyons, entre filles, toute une semaine dans le Sud !

— Bof, non, pas vraiment, répond Caroline, en faisant un signe négatif de la tête.

Katia, un sourire en coin, se tourne vers son amie :

— Caro, oui, avouons-le…

Celle-ci, un peu saisie et hésitante, regarde son amie, les yeux écarquillés.

— Le premier jour, elle allait acheter sur la plage une espèce de *drink* au lait de noix de coco d'un vendeur itinérant. Comme elle est fragile de l'estomac, on l'a mise immédiatement en garde : « Ne bois pas ça, tu pourrais te sentir mal… »

— Ah ouin..., fait la prof de maths, en semblant trouver l'anecdote plus ou moins savoureuse étant donné la fin sans conséquence.

— C'est comme Vicky..., poursuit Caroline à son tour.

— Qu'est-ce que tu vas raconter, ma tannante? lance celle-ci, tout de même un peu craintive.

— Elle voulait se mettre de la crème FPS 15 les premiers jours. Eille, on lui a dit: «Es-tu folle, mets de la FPS 30, le soleil est trop fort!» Ha! ha! ha..., rigole exagérément Caroline, compte tenu de son récit plate.

— Ben coudonc! se force de réagir la professeure curieuse, car elle trouve les filles assez «matantes», merci, dans leurs péripéties de voyage.

— On a dû avertir Katia aussi cet après-midi-là. Elle avait le lever du coude facile..., débute Vicky.

Contente enfin d'avoir du croquant à se mettre sous la dent, la professeure demande, avide de connaître la suite:

— Tu t'es soûlée?

— Eille, elle a pris trois *drinks* super forts en alcool au gros soleil! Elle commençait à être pompette. On lui a dit: «On pense que tu devrais boire de l'eau un peu», termine Vicky.

— C'est ça que j'ai fait! Une chance, j'aurais eu mal à la tête rare, conclut Katia avec un air signifiant qu'elle avait ainsi évité le pire.

— Parle-moi d'une affaire, toi! On n'annonce pas de neige cette semaine finalement, change de sujet la prof en question, plus du tout intéressée à en savoir davantage sur le voyage ennuyeux de ses collègues.

Un professeur d'éducation physique, resté silencieux depuis le début de la pause, est appuyé près du cadre de la porte. Au son de la première cloche, les enseignants se dirigent vers la sortie. Caroline, Vicky et Katia s'y rendent toutes en même temps, en discutant de leur week-end à venir. Il sourit en les regardant passer, puis chuchote en leur direction :

— Ce qui se passe en vacances reste en vacances, hein, les filles ?

Surprise qu'il connaisse leur slogan, Katia dit innocemment en poursuivant sa route :

— Hein ? Drôle d'expression ! Je n'ai jamais entendu ça !

— Ah non ? lance-t-il, étonné, en brandissant son téléphone intelligent en l'air, les yeux brillants avec un sourire en coin éloquent, avant de tourner les talons pour se rendre à son cours.

———◆———

(Mmmm... la voix de ténor puissante et voluptueuse de Charles Tisseyre.)

Le vacancier québécois contemporain revient habituellement de son voyage tout compris exténué et bien cerné. Il aura cependant très hâte de mettre ses photos sur les divers médias sociaux pour donner la chance à ses nombreux amis d'admirer un trop grand nombre de clichés, le plus souvent d'une redon-

dance extrême. La plupart du temps, le vacancier est épuisé par son périple, donc trop paresseux pour faire le tri desdites photos, de sorte que même celles de la chambre et du buffet meubleront son épais dossier (intitulé en règle générale du nom du pays visité et de l'année du voyage).

Le vacancier, maintenant convaincu d'être un grand aventurier, se présentera dorénavant comme une référence, voire une sommité, en matière de voyages tout compris. Il prodiguera allègrement, et sans qu'on le lui demande, des conseils à tous ceux qui lui annonceront qu'ils partent à leur tour en voyage. Il généralisera à tout coup ses conseils futiles à tous les pays du monde entier, convaincu d'être désormais un «grand voyageur».

Aussitôt revenu dans son pays, il se remémorera avec nostalgie les beaux moments vécus, moments naturellement enjolivés par un abus répété d'alcool. Il idéalisera les gens rencontrés lors de son séjour en qualifiant ces rencontres de «grandes amitiés possiblement durables». Bien qu'il ait promis à tous ses nouveaux amis de faire un souper pour regarder leurs photos, le vacancier oubliera peu à peu ces gens en reprenant sa petite routine quotidienne. Quelques échanges auront souvent lieu sur les réseaux sociaux, mais sans plus.

Le voyageur rêvera de retourner au plus vite dans un tout compris. Cependant, cette fausse étape d'illumination avortera la plupart du temps, à cause de son compte bancaire déficitaire, son voyage précédent lui ayant coûté beaucoup plus cher que prévu. Le vacancier se résignera donc à se rendre en cachette au salon de bronzage, afin de faire durer son teint hâlé, mais inégal, le plus longtemps possible. Il deviendra aussi, bien malgré lui, celui qui écoutera avec inattention les projets de voyage de ses amis et collègues, et ce, pour tout le reste de l'hiver...

N.-B. Notez que ceci constitue une production littéraire de fiction et que toute ressemblance avec la réalité, aussi criante de réalisme soit-elle, est bien évidemment fortuite. L'auteure confirme, de bonne foi, n'avoir en aucun cas utilisé d'anecdotes de voyages vécues ou lui ayant été racontées dans le passé... Pfft... ☺

Autres titres d'Amélie Dubois

Dans la série « Chick Lit »